L'ENVIE

DU MÊME AUTEUR

Sacré Paul, NiL éditions, 1995

Le Plus Jeune Métier du monde,
NiL éditions, 1999

Fonelle et ses amis, NiL éditions, 2002

L'Amour dans la vie des gens, Stock, 2003

Le Savoir-vivre efficace et moderne,
NiL éditions, 2003

Fonelle est amoureuse, NiL éditions, 2004

Sublime amour, Robert Laffont, 2005

Nouba chez les psys, J'ai lu, 2009

Otages chez les foireux, J'ai lu, 2009

À Moscou jusqu'au cou, J'ai lu, 2009

Grandir, Robert Laffont, 2010

SOPHIE FONTANEL

L'ENVIE

roman

ROBERT LAFFONT

ISBN 978-2-221-12695-0

Pendant une longue période, qu'au fond je n'ai à cœur ni de situer dans le temps ni d'estimer ici en nombre d'années, j'ai vécu dans peut-être la pire insubordination de notre époque, qui est l'absence de vie sexuelle. Encore faudrait-il que ce terme soit le bon, si l'on considère qu'une part colossale de sensualité a accompagné ces années, où seuls les rêves ont comblé mes attentes – mais quels rêves –, et où ce que j'ai approché, ce n'était qu'en pensée – mais quelles pensées.

Je me rends compte aujourd'hui de ce que contenait alors ma vie. Elle n'était en rien négligeable. Au contraire, elle était riche, parfaitement ajustée à ma personne. Pourtant, rien n'a été simple, et ces mots que j'écris me seraient jadis tombés comme un plomb des doigts, tant j'ai pu à des moments me sentir honteuse de ma particularité, pire que différente. On le sait tous, même les gens différents ont une sexualité digne de ce nom, des choses à montrer, des déroutes à revendiquer. Tandis que nous, les solitaires, armée non violente sauf contre elle-même, incalculable car inavouable peuplade, nous savons d'instinct que parler c'est offrir au monde de quoi nous exiler davantage. C'est permettre qu'on colporte sur nous ces sottises liées à ce qu'on ne cerne pas. Et devenir aux yeux des autres des boucs émissaires, servant à les rassurer sur ce point : aussi aléatoires que soient leurs plaisirs charnels, la preuve est faite, par nous, par notre exil si concret, que leurs manières sont encore mieux que rien.

Sur ce rien qui me fut salutaire, et dans lequel j'ai appris à puiser des ressources insoupçonnées, sur ce qu'est la caresse pour quelqu'un qui n'est plus caressé et qui, probablement, ne caresse plus, sur l'obsession gonflant en vous et dont on dit si bien qu'elle vous monte à la tête, sur la foule résignée que je devine, ces gens que je reconnais en un instant et pour lesquels j'éprouve tant de tendresse, je voulais faire un livre.

I

Accoudée à la barrière de protection du télésiège, lequel me hissait jusque vers là-bas où je pressentais le ciel bleu, la brume qui se dissipait, une peau qu'on écarte du lait, je regardais les sapins, les crêtes, les aplats immaculés, et je pensais : pour moi aussi je veux ce calme. Ce dont j'avais pourtant expérimenté la valeur, à savoir ce rinçage inégalé apporté par le sexe, eh bien ne m'intéressait plus. Je n'en pouvais plus qu'on me prenne et qu'on me secoue. Je n'en pouvais plus de me laisser faire. J'avais trop dit oui. Je n'avais pas considéré la tranquillité demandée par mon corps.

Comprenant que je n'entendais pas, ce corps avait haussé le ton. Les derniers temps, avant ces sports d'hiver, une résistance s'était radicalisée en moi. Dans l'intimité, chaque parcelle de mon être se barricadait sans que j'y puisse quoi que ce soit. Je n'arrivais plus à desserrer les poings, il me fallait un effort pour ouvrir ma paume sur les draps, en plus elle se refermait aussitôt. Depuis des semaines, j'étais obligée de dire non du front à ce que proposait mon amant. Il s'impatientait. Je me forçais. Cet amant crut que je donnais alors que je concédais. Il crut que je capitulais alors que je calculais le moyen d'en terminer au plus vite. Je n'étais devenue qu'une maigre possession pour celui qui estimait me tenir en son pouvoir. Je lui vis un air soupçonneux. Il était de moins en moins convaincu par son butin. Il me faisait penser à ces gens qui, dans une lutte, voulant vous retenir, se retrouvent votre pull dans les mains, tandis que vous, vous fuyez à toutes jambes en agitant les bras.

J'avais couru, couru, pour arriver dans cette station de sports d'hiver. Sitôt sur les lieux, j'étais allée chez le marchand et j'avais choisi une combinaison de ski plutôt qu'un fuseau, je me sentais à l'abri dans ce vêtement difficile à retirer. L'hôtel était au plus haut point du téléphérique, dès seize heures ce dernier s'arrêtait et une steppe commençait. C'était hors saison, nous étions trois dans l'hôtel en comptant le propriétaire, Jonas. Il adulait Johnny Hallyday depuis l'enfance et écoutait « L'envie » en me servant. Il voulut me prévenir : « La montagne rend défaitiste. »

Il se fichait de l'air pur. Il se plaignait de ne plus rencontrer de femmes à ces altitudes, étant donné que, pour sortir le soir, il lui fallait prendre la moto-neige et plus tard remonter dans la nuit totale, dix fois plus seul, saoul et frigorifié. Son insatisfaction m'étonnait. Moi, je jugeais inestimable d'être loin des autres. Et de chanter l'envie seulement pour l'horizon. D'avoir pour compagnie le crissement de la neige. Jonas ne voyait pas les choses sous cet angle. Il était sans présence féminine depuis trois ans. « Je deviens chèvre », il disait, en remettant trois bûches, plus qu'il n'en fallait, dans la cheminée. Les belles flambées le vengeaient de la monotonie. Il me fit quelques compliments le premier soir. L'évidence, soudain, de notre isolement. C'était un homme athlétique, un ancien chasseur alpin, le visage bruni avec, dedans, les yeux pâles des montagnards. La peau vers son cou était plus blanche, jamais exposée, et moi si je voulais je pourrais mieux la voir, il me la montrerait sûrement. L'idée me vint, un réflexe, qu'aller avec cet homme pourrait s'envisager. À peine je me la formulai, mon corps se révolta. Je sentais qu'il serait impossible de se forcer, qu'en moi tout se fermait. Je pensai à la fois où, dans une grille de mots croisés du journal *Le Monde*, j'avais eu tant de mal à trouver le mot « herse ». Alors que là il me venait spontanément à l'esprit.

Je laissai Jonas. J'allai dans ma chambre. Je me remémorai Paris, ce à quoi j'avais échappé, et même ce soir. J'ouvris la fenêtre sur le noir que je savais si blanc. Je respirai. Mon destin avec la neige autour me semblait un éden roucoulant. Floconneuse et ouatée allait être ma vie. On ne m'aurait plus.

Une personne qui se délivre a l'univers devant elle. J'ai vu des gens à qui cela arrivait à 90 ans. Surtout, si je repense à mes années de lycée, je constate que c'était en moi : derrière mon habitude d'obéir, j'avais la pulsion de m'enfuir. Le cours où je n'allais pas, la sève que ce cours séché faisait circuler en moi. C'est affreux de comparer la sexualité à la servitude d'une scolarité. J'ai conscience que ces notions de devoirs à rendre, d'enseignement fastidieux, d'ennui et de rapport au pouvoir vont donner une mauvaise image de celle que j'ai pu être, dans une culture où les êtres humains mourraient plutôt que d'avouer avoir eu, à un stade de leur histoire, une lassitude sexuelle. On confond souvent ce désintérêt avec une impuissance. Nous sommes si nombreux à savoir que ce n'est pas qu'on ne peut pas, c'est qu'on ne s'y voit plus. Le plaisir est récolté, et après ? Il n'est plus l'argument impérieux d'hier. Le jeu n'en vaut plus la chandelle. C'est pour cette raison qu'on s'éloigne.

J'irais jusqu'à dire que ça fait un bien fou.

Après la neige, mon visage se défroissa en quelques semaines. On se connaît, ce ne pouvait pas être juste grâce au bon air. Pour preuve, à Paris, une fois les bienfaits de la montagne estompés, non seulement je conservai ce visage, mais mon éclat s'accentua. Sur une photo, je découvre que je me mis à rayonner. Quelle rencontre me transfigurait ainsi ? À quel rendez-vous je me rendais, les yeux brillants de confiance et la peau lumineuse d'une affranchie ? À l'amant, quand il me revit au café une dernière fois pour tenter l'impossible, cette clarté fut plus désagréable que n'importe quelle parole. Il voyait bien, lui, que je me tenais beaucoup plus droite. Je lisais dans ses sourcils froncés qu'il hésitait entre me considérer comme d'ores et déjà plus dangereuse qu'une vierge, ou bien fermée à double tour, une autiste, en dépit de mon nouveau visage affable, ou bien tournée vers un autre homme, ce qui aurait expliqué. Il me sonda de la tête aux pieds, fit en dix secondes le bilan de mes métamorphoses et, seule explication qu'il pouvait concevoir, il me demanda si j'étais amoureuse.

Il n'était pas le seul à se poser la question. Mon amie Henrietta voulut savoir : « Comment s'appelle-t-il ? », uniquement après m'avoir vue entrer radieuse dans le café, avec mes bottes de sept lieues. Dès qu'on se rencontre soi-même, les autres cherchent qui ça peut bien être.

Je peux dire qui était cette personne qui me faisait tout quitter. Je partais pour celle que j'avais été des années auparavant. Cette jeune fille, à 13 ans, en paraissait 16. Cette jeune fille avait reçu le don de lire, elle serait écrivain. Pour l'heure, ce n'est pas ce qui l'accaparait le plus. Elle, elle rêvait de lubricité. La chemise ouverte d'un homme, a fortiori s'il avait les yeux bleus, ou bien l'endroit où les hommes ont ce que les femmes ont d'une autre manière et qui ne se voit pas, ces éléments retournaient la jeune fille. Dans sa robe légère, elle était précoce. Elle prévoyait ceci : on n'apprend rien sur les sens, on sait depuis le début. Voilà pourquoi elle explosait d'impatience à l'adolescence. Elle avait hâte de vivre une confirmation, une autre, bien sûr, que celle, d'une telle fadeur, expérimentée à l'église. Il devait bien y avoir des élévations plus diablement ésotériques. Pour patienter, elle s'examinait devant le miroir. Elle constatait sa chance d'être élancée à défaut d'être parfaite. Ce qu'elle ne savait pas : elle avait la particularité de contenir, dans les yeux, une possible noirceur. Et les hommes reconnaissaient cette noirceur. Les hommes reconnaissaient chez cette jeune fille ce par quoi elle tanguait. Comment s'appelait celui dont elle croisa un jour et la route et le regard, touriste venu du Mexique, à la tête mielleuse et bouclée d'archange ? Il lui dit : « *Tus ojos...* », ce qui signifie « Tes yeux... », en espagnol. C'était dans une boîte de nuit où bien entendu, à son âge, elle n'avait pas le droit d'entrer. Le droit... Déjà qu'elle n'avait pas celui de sortir.

Le lendemain, ils s'étaient revus, il voulait aller au musée. Elle était brillante, ça la sécurisait qu'il soit cultivé. Il devait repasser à son hôtel. Elle voulait bien voir un palace. C'était près de la Madeleine. Il se déshabilla partiellement, pour jouer. Le parfait torse sucré de ce garçon. Il aimait les impressionnistes, et il était beau. Fascinée, elle espérait. Le garçon avait ôté le reste de ses vêtements, il était nu et l'allégresse atteignait son apogée : c'était bien ce à quoi elle avait toujours pensé. C'était fabuleux. Il ne fallait plus s'en préoccuper : un jour, tout arriverait.

À 13 ans, extasiée d'avoir ces indices, elle voulut en rester là. Se reposer sur cette idée quelques années. Elle ébaucha le geste de quitter le lit. Le garçon la retint par le poignet. Elle disait qu'elle voulait partir. Lui avait un rire bêta de mauvais sujet. Il était de vingt ans son aîné. « J'ai 13 ans en réalité », elle lui opposa. Elle avait une candeur ridicule malgré son intelligence. Car, que croyait-elle ? Qu'un homme qui désire au point où désirait celui-là, un inconnu qui demain retourne dans son pays, va s'en tenir à la théorie ?

Nous avions 15 ans, Henrietta et moi. Elle était la meilleure élève du lycée. Elle allait briller, plus tard, archéologue, elle se faufilerait dans l'antique nécropole d'Alexandrie devant les caméras de la BBC. Pour l'heure, nous étions affalées sur son lit de rotin, dans l'appartement de ses parents. Nous révisions notre latin. On venait de finir le grec. Ce qui était imposant chez Henrietta, c'est que, par amour des études, elle parlait presque les langues mortes sur lesquelles je butais en permanence. Je la revois suivant du doigt les phrases occultes de Tite-Live. Elle les décryptait à mesure, pour elle c'était un braille familier. Ce jour-là, Henrietta flamboyait dans une traduction de la deuxième guerre punique. Peut-être se moquait-elle de moi, d'un génitif qui aurait dû me sauter aux yeux. Bien que sans méchanceté aucune, elle avait une vraie jouissance à savoir mieux que les autres. J'eus l'idée de lui en remontrer. Posant de côté ma version latine, façon d'établir qu'on passait à d'autres compétences, je lui révélai, de but en blanc, que moi j'étais allée avec un homme.

L'effet de ma phrase dépassa mes espérances. Henrietta était bien consciente que l'hégémonie du latin avait ses limites si on la comparait à la chair. En plus, elle était myope, complexée par l'épaisseur de ses verres de lunettes, mal dégrossie à l'adolescence, faible sur ce plan-là. Elle tendait vers moi son buste à peine formé : « Raconte. » Ça me déconcertait d'avoir l'avantage. « Tu ne veux pas me raconter ? » elle insistait. Elle redoutait qu'après mon annonce, je puisse décider de garder mes secrets. Maintenant que j'avais produit un effet, quel serait le plus grand des pouvoirs, la plus radicale des contrepropositions au latin : se taire ou parler ? Tandis que je me le demandais, la tentation de se livrer au moins à quelqu'un, nécessité aussi vitale en nous que les besoins les plus élémentaires, me poussait à ordonner mon récit. Pour la première fois je détaillai l'accent mexicain, la visite du musée, l'hôtel de la Madeleine, combien le corps des hommes était attirant, douce la peau de leur dos et celle d'autres endroits, et combien cruelle leur indifférence à notre appréhension. Pour ce qui était de l'acte en lui-même, devançant la curiosité légitime d'Henrietta, je lui appris que plus un homme s'approchait, plus il devenait incontrôlable. Passé un certain cap, il parlait sans ménagement, en plus on n'osait en demander aucun.

L'envie

On ne soupçonne pas ce qu'on confie. Henrietta gardant le silence, je fus prise de panique, je m'empressai de préciser que cette rencontre, j'en avais eu envie, après tout. C'était la vie, et moi j'en avais découvert la partie dissimulée. C'est contre ça que nos parents, par des interdictions de sortir, des silences, des gestuelles horrifiées, nous mettaient en garde. Ils savaient, eux, dans quelle vérité se termine l'enfance.

J'avais 20 ans et j'avais un premier petit ami sérieux. Il me jugeait irremplaçable, bien qu'il eût connu tant de délices avant notre rencontre. Il aimait la façon dont, moi, on pouvait me réveiller la nuit. Rien ne me chiffonnait. Dans le lit, il faisait brandiller ma tête entre ses deux mains, eh bien, décoiffée je ne cillais encore pas. Il aimait son pouvoir. Pour sa gloire, il me procurait des sensations, ça le gorgeait de fierté. Il avait pris, en arpentant son appartement, des assurances de monarque. Toutefois, il avait beau se vanter de sa conquête, il suffisait qu'il me demande d'exercer sur lui ma possible noirceur, et il perdait son avantage. À ce jeu de « Je te tiens tu me tiens par la barbichette », il finissait par plaisanter, pour cacher le trouble que lui causait mon impassibilité.

Je revenais d'un cours à la Sorbonne. Lui, il était dans son lit, devant un de ces programmes télévisés absurdes de l'après-midi : une émission sur les maîtres-chiens. Un colonel des pompiers déclarait que les chiens les plus « critiques » ne sont pas ceux qu'on suppose. Lors d'une intervention, la bête qui vous aboie dessus paraît la plus intimidante. Elle ne l'est pas. À dix mètres, elle indique sa dangerosité à quelqu'un qu'elle ne peut pas atteindre, ou bien qui aurait le temps d'anticiper, d'entrer en relation avec elle. Tandis que la bête immobile, à la placidité complète, elle remue la queue, elle ne grogne pas à cinq mètres, elle ne grogne pas à deux centimètres et tend un museau plaisant, sa truffe humide salue le duvet de votre main, elle se met sur le dos, elle ferme les yeux si on lui gratte le haut de la tête, jouit de votre caresse, se laisse respirer par vous, votre visage est dans ses poils à la noisette, elle se laisse retourner les babines dans un sourire comique, celle-là, par hasard vous touchez un point anodin de son échine, elle se retourne et elle vous dévore la joue.

Apparaissait la photo d'un tel chien indécelable, une femelle dalmatienne. En raison de ce qu'on venait d'apprendre, la bonhomie de l'animal faisait frissonner. Mon petit ami fit remarquer que c'était incroyable, rien ne différenciait cette femelle des autres chiens. Le joli pelage en plumetis donnait l'idée d'une courtoisie. Il ne s'expliquait pas qu'une créature jeune et si bien faite puisse en vouloir aux hommes. Il se replia dans les coussins de

son lit : « Heureusement qu'elle n'est pas à moi ! »
Il tapotait sur le drap où je devais le rejoindre.
J'avais des scrupules. Dès que j'avais aperçu la
damaltienne, j'avais su que cette femelle c'était
moi.

Après les sports d'hiver, je ne fis que quitter Paris. Je ne pouvais plus arrêter de m'aérer. Au cours d'un de ces périples, vers Manosque, Alpes-de-Haute-Provence, un matin où j'avais particulièrement l'avenir devant moi, j'appris que non loin du village une femme artisan vendait de la laine vierge. J'étais persuadée qu'il m'en fallait. Je nous mis en route, mon corps et moi, légers dans l'auto décapotée.

Je ne trouvais pas la bastide de cette femme. Les routes de campagne que je prenais, là où on m'avait indiqué des embranchements, n'aboutissaient qu'à des pans de murs en ruine. La dernière montait dans une colline, elle me mena à un haut plateau. Un champ de coquelicots où la voiture ne pouvait pas aller. Ne pas être capable d'atteindre la bastide et la laine, j'en fus bêtement découragée. Une contrariété minime suffisait à me démoraliser. Pour un évadé, le moindre obstacle prend des proportions dramatiques. C'est la peur d'être repris. J'exigeais les pleins pouvoirs, il me semblait qu'il fallait ça pour sortir du schéma des hommes. Plus rien ne devait se mettre en travers de ma route. Qu'est-ce que c'est, la liberté, si on n'a pas ce qu'on veut ? Je roulais, acharnée. Que la route soit un cul-de-sac, je n'aimais pas. Tout me revenait. Les choses que l'on gomme, elles s'effacent, et sous une certaine lumière on peut lire à nouveau ce qui était écrit.

J'avais longtemps bâclé mon désir. Pour l'hôtel de la Madeleine, je pouvais supposer que je n'avais pas réfléchi. Mais ensuite, lorsque mon allégeance à n'importe quoi s'est renouvelée ? Ma pauvre enveloppe charnelle était là tout le temps, et quand elle perdait, elle perdait vraiment. Les continuels inconforts de ces années me revenaient à l'esprit, j'avais mal au dos, je tombais malade au lieu de m'enfuir, des fatigues continuelles. C'étaient des alertes. Une fois, un médecin m'avait prévenue, en me lorgnant par en dessous, comme s'il s'adressait à quelqu'un d'autre en moi, plus concerné et mieux susceptible de l'entendre : « On devrait écouter son corps. » Mon cœur, dans ma poitrine, avait ricoché sur mes côtes. Je ne comprenais pas ce qu'il essayait d'insinuer, ce médecin, lui qui venait de passer quarante minutes (le double du temps consacré aux autres patients) à m'étudier. De rendez-vous en rendez-vous, il jouait le conciliateur entre ma peau et moi. Des semaines, il me soignait. Dès que j'étais un tant soit peu remise, je retournais m'oublier. On pouvait de nouveau buter contre moi.

Pouvait-il me faire confiance, ce corps, après les rudes habitudes que je lui avais imposées ? La réponse ne se fit pas attendre : une crampe dans la cuisse me poussa hors de la voiture. J'allai dans le champ de coquelicots pour me dégourdir les jambes. Les milliers de fleurs étaient mes pieds, les milliers d'abeilles. Je continuai d'avancer vers l'horizon, poussée par une énergie. Bientôt je fus au milieu des fleurs. La crampe avait disparu, à la place mon corps bourdonnait de repos. Lui et moi étions enfin un seul insecte parfait.

II

Quand ai-je été plus heureuse que durant ces premiers mois de répit ? Je prenais des bains au lait de lavande. Les Japonais vendent une poudre parfumée, elle rend l'eau blanche. En versant le contenu du sachet dans la baignoire, en me délectant de cette onctuosité, puis en me plongeant dedans, j'avais l'impression que je ne sais quelle divinité se réjouissait pour moi. Auparavant, l'eau n'avait été qu'un élément utile. C'était par exemple les douches où je me précipitais pour me défaire d'une présence, après m'être laissé attraper. Ces « non », ces « plus tard » jamais formulés, ma délicatesse toujours compromise, le savon en atténuait les répercussions. Je restais un temps plus que raisonnable dans la petite cabine, le dos contre le carrelage, c'était par épuisement.

Alors que là. J'étais sous le lait, seule ma tête dépassait. Mon corps, détendu, acceptait de flotter dans le bain, ses parties les plus signifiantes affleuraient à travers l'eau opaline, mes seins surgissaient, ressemblaient aux bouées qui signalent, le long des côtes en mer, la présence humaine. J'étais sous ces balises, un être vivant. Et bientôt, la détente s'accentuait, montait l'autre partie importante de mon anatomie, plus jamais malmenée dorénavant. La paume d'un sorcier s'était placée sous mes hanches et me soulevait avec précaution. Aujourd'hui encore, je pourrais suivre du doigt, sur un dessin d'anatomie, le circuit de la liberté dans mon être, la limpidité d'alors. J'avais confiance. J'éprouvais une joie à être hors de tout danger. On n'allait pas me prendre. On ne me prendrait rien. Si léviter est quelque chose, c'était cela léviter.

La nuit, j'étreignais mon oreiller, exactement comme s'il se fut agi d'un être humain à ma portée. J'avais pour lui les égards qu'on a pour celui à qui on ne veut aucun mal. Je le couvais, il aurait fallu me l'arracher des bras pour me le prendre. Oserais-je dire que je l'embrassais ? C'était me livrer au dos d'un homme imaginé par moi, poser mon front entre ses omoplates, je l'entourais. Et lui, là-bas devant, il me prenait les mains. Il bougeait lentement, si peu que j'aurais pu jurer qu'il se contentait de respirer. J'en mettais, du temps, à comprendre qu'il me berçait. Comment s'arrangeait-il de son désir ? Je n'en savais rien. Mon désir à moi c'était d'attendre. Peut-être l'homme se retournerait-il, son immensité me recouvrirait. Mais pour le moment il n'y avait aucun risque.

C'était le bonheur. Et on sait que le bonheur, on tourne la tête dans tous les sens pour le partager. Voilà pourquoi, absorbée par l'ivresse de ma découverte, je ne vis aucune raison de ne pas en parler. Je me confiai à un ami de mes parents, Axel. J'avais une relation particulière avec cet homme. Il avait été le rare adulte, dans mon enfance, à prendre au sérieux ma résolution de devenir écrivain. Le rare à me conjurer de faire des choses seule. Et même si à l'époque il parlait de voyages, c'est bien de se débrouiller seule dont il était question à présent.

Il admit que, en ce qui concernait l'oreiller, lui aussi le faisait. Non seulement il enlaçait son polochon, il lui chuchotait « Malika », nom de son grand amour perdu. Un jour, Axel avait eu la faiblesse de décrire à des amis ce qu'il vivait la nuit. Or, en se confiant aux autres, il n'avait récolté qu'une pitié mêlée de dégoût. Il était donc bien placé pour me déconseiller ce genre d'aveux. Sa conclusion : « Il y a des limites à ce que les gens peuvent entendre. » Pas un de ses amis ne le comprenait. Il avait galvaudé son rêve, en plus. Tout ce qu'on éparpille se dissout. Pour les autres il n'avait plus été qu'un homme infréquenté, un exclu dans ses draps, son corps en circuit fermé, convulsé et tragique.

Je lui opposai : « Écoute, Axel, c'est toi qui m'as appris qu'à toutes les époques et dans toutes les cultures, on peut se démarquer. » Aujourd'hui, il secouait tristement la tête : « Crois-moi. Nous autres, on n'est forts que si on se tait. »

À la radio, un médecin soulignait que plus un individu fait l'amour, meilleur il devient dans tous les domaines. Et moi j'éclatai de rire. Mon air railleur n'empêchait nullement cet homme de persévérer dans son catéchisme. Il rappelait que le corps humain est une mécanique, et la comparait, cette machine, au métro de Taipei, à Taiwan. Il y a des années de ça, un vice de fabrication avait concerné le béton des piliers soutenant ce métro aérien, fraîchement construit. Eh bien, sans passagers, ce métro avait fonctionné, jour et nuit, sans quoi il aurait rouillé. Selon ce médecin, une prophétie similaire planait sur le corps sexuel. Si on n'en faisait pas usage, il se dégradait.

On pouvait téléphoner à l'émission pour apporter un témoignage. J'avais composé le numéro. Plus rapidement que prévu, j'étais tombée sur un standardiste qui demandait ce que le sujet du jour m'inspirait. J'avais dit que j'étais révoltée, évidemment pas contre le standardiste. J'avais dit que les redoutables et ultramodernes conventions de notre époque étaient partout mais que, naïve, je m'étonnais de les trouver ici, dans une bonne émission de radio. J'avais démontré que ce n'était pas vrai, cette histoire que plus on fait l'amour, meilleur on devient. Par exemple, saint François d'Assise, mère Teresa, le dalaï-lama, Bouddha ? Et que penser du compagnon qui fut des heures exaspérant et hostile, il a négligé votre dévouement, il vous a humiliée devant les autres, il a maudit votre souffle et il entend la nuit se réconcilier à bon compte ? On se rapproche de lui par la force des choses, en le haïssant. Est-ce bon pour la santé, ça ? J'avais dit : « Pourquoi donner à la vie sexuelle une valeur en tant que telle ? Il y a une multitude de dispositions intérieures, de circonstances extérieures. Ce qui rendrait meilleur, ce serait de ne rien croire aux propos canoniques de ce médecin. » J'avais proposé : « Laissez aux gens le trésor qu'ils possèdent. Leur équilibre indéfinissable. » *Indéfinissable*, j'avais appuyé. « C'est d'ailleurs pourquoi aucun mot ne peut nommer l'absence de vie sexuelle des humains qui espèrent. Nous disons "chasteté", ce n'est pas le bon mot. Nous disons "abstinence", ce n'est pas le bon mot. "Asexualité" n'est pas le bon mot. Alors stop. Arrêtez les balivernes. »

C'était un jeune homme, je l'entendis à sa voix. Il me répondit qu'à son grand regret, ce que j'avais à exprimer était trop compliqué, on ne pourrait pas

prendre mon appel en direct. Il s'en excusait et espérait que j'avais passé un bon moment sur l'antenne
de cette radio. Laquelle radio m'offrait, en contrepartie de ma fidélité, une trousse à maquillage de la
marque Clinique.

Je roulais le long de la Seine. À droite, un muret me cachait le fleuve. À gauche, les terrasses surélevées du jardin des Tuileries. Le jeune homme me fit sursauter. Il était passé près de moi sur la chaussée, il avait touché des doigts le capot de ma voiture. Un patineur. Il était en pull contre le froid glacial du mois d'avril. Un gros col roulé, écru, irlandais. Les manches retroussées et aux mains des gants de cuir caramel. Ses hanches ondulaient dans le jean trop moulant, qui en voudrait à un adroit patineur d'être narcissique ? Nous allions presque à la même allure, moi à cause du trafic, lui par l'impulsion qu'il arrivait à se donner. À le voir zigzaguer entre les voitures, on ne pouvait s'empêcher de penser aux risques qu'il prenait. Je le jugeais imprudent d'oser se faufiler. Qu'est-ce qui se passerait, s'il ripait, si une faute d'inattention le précipitait vers le sol, les patins en l'air ? Je lisais dans son dos souple qu'il se serait moqué de mon inquiétude. La conviction en définitive le faisait patiner, bien plus que les roues, bien plus que le sol lisse. Quand une voiture énorme se trouvait à portée de ses doigts, c'est carrément sur une jambe qu'il se mettait en se laissant tirer. Au lieu d'être vigilant, il affirmait son aplomb. Ensuite, il lâchait sa prise, le pied qu'il avait levé touchait le sol, il ouvrait une boucle de joie avec son corps entier, et s'en allait serpenter vers d'autres véhicules. Au feu, j'avais dû m'arrêter. Lui avait continué, au mépris du danger. Afin de se donner plus de vitesse, il s'était penché vers l'avant, puis avait tendu les bras vers l'arrière, les ailes d'une libellule, il avait fait virevolter ses gants en guise d'adieu à nous tous, aux obligations.

On pouvait être différent au milieu des autres.

Une séance de cinéma, un après-midi à Paris. Le Lucernaire, je m'y rendais trois fois par semaine. Nous n'étions jamais plus de dix dans la salle, et ce jour-là j'étais seule, au point que je me retournai et fis par solidarité un signe amical au projectionniste, sans le voir. Le film : *Les Trois Jours du Condor,* de Sydney Pollack. Robert Redford quittait son bureau (une agence de la CIA) pour aller chercher des sandwichs. Il rentrait, il avait les provisions dans ses bras, son caban bleu marine, ses collègues étaient morts, criblés de balles. Il aurait dû être assassiné comme les autres, sa présence était une menace, on le retrouverait, il devait fuir. La nuque en danger, il tournait au coin de la rue.

Il y a mille manières de s'approprier un film, mais les femmes qui peuvent aimer un homme en vrai sont-elles assez disponibles pour connaître Robert Redford ? Je sais qu'elles en prennent un peu, qu'elles en profitent. Ça ne va pas très loin. Pour elles ce n'est qu'un film. Car sans le dépouillement absolu de qui le regarde, Robert Redford ne se déplace pas. Il faut que vous soyez au Lucernaire, avec le double retranchement de vous dans la salle et de vous dans le corps, vos mains ouvertes, démunies de part et d'autre de votre buste, votre impératif besoin de rêve, vous qui ces temps-ci ne côtoyez plus rien d'autre que la beauté, vous pour qui le film est sérieusement un lucernaire – les lucernaires étaient des puits de lumière chez les chrétiens de l'Antiquité –, vous capable de faire l'amour sans un geste, vous je le rappelle un pavot, donc n'ayant besoin que de très peu d'eau pour vous épanouir, vous captant le fluide de Robert Redford et le transformant en breuvage, eh bien Robert Redford, il vous voit.

Cet acteur serait venu me parler dans une fête, j'aurais été sur mes gardes. Je me serais demandé ce qu'il me voulait. Je crois, oui, je crois que j'aurais eu peur. Mais j'étais dans une salle de cinéma à des milliers de kilomètres du corps réel de Robert Redford. Il ne restait que l'essentiel. Désincarnés tous les deux, nous étions ressuscités dans le paradis du Lucernaire. Il pouvait m'emporter dans les plis de sa peau irrégulière. Il y a sur le visage de Robert Redford des points de varappe où je me disais : Si ça va plus loin, c'est là que je m'agripperai.

Les miracles, il faut y croire : à la fin du film, tandis que je me levais dans le noir pendant le générique,

Robert Redford avait posé une main sur mon épaule pour me proposer un quatrième jour du Condor. C'était logique. Il avait senti. D'un bras j'avais enlacé dans l'air sa belle nuque blonde sauvée des tueurs, pensant que si le projectionniste m'observait, il pourrait penser que je consultais ma montre.

III

Mon père avait un cousin prêtre ouvrier, Charles. L'été, il passait une semaine auprès de nous sur la Côte d'Azur. Il appartenait à l'ordre érudit des dominicains. Par lui la culture, le journal *Le Monde* qu'il achetait en allant chercher le pain. Il avait avec mon père des conversations profondes, dont mon père ressortait le visage sanctifié. Mon père n'avait pas la foi. Ni ma mère, ni mon frère, ni moi n'avons jamais su de quoi ils pouvaient parler. Mais le plus extraordinaire, dans ces vacances, ce n'était pas leurs échanges impénétrables, c'était que Charles arpentait le port de Saint-Tropez en boxer-short. Cela ne signifiait rien pour la plupart des gens, ça ne se voyait pas qu'il était prêtre. En revanche, sur le petit groupe ami de mes parents, l'effet était sensationnel. Un prêtre en maillot de bain, un homme de Dieu doté d'un corps, et qu'il soit à nous, ce dévoué serviteur, de notre sang, nous mettait très haut dans la hiérarchie de la plage. Lorsque Charles était là, nous devenions des espèces de stars. La sainteté de Charles n'allant pas jusqu'à l'abstinence alcoolique, sa présence impliquait de multiples apéritifs dînatoires, au cours desquels Charles, au début très cardinal, puis, l'alcool aidant, de plus en plus bon enfant, devenait le centre du groupe. Il tentait des discours. Il avait tant à dire, cet homme, lui aumônier d'une prison dans le nord de la France. Lui, jadis haut fonctionnaire, qui avait quitté un emploi prestigieux à la Banque de France pour aller travailler dans les mines de charbon, puis dans une usine de filature, avant la prison. Lui qui croyait en l'être humain alors que nous autres, on avait depuis longtemps rendu notre tablier. Lui qui n'embêtait personne avec Dieu pour ne pas « se fermer les athées ». Pour vous mettre à l'aise, il rangeait sa foi, vous prévenait qu'elle était son problème même si ça n'en était pas un.

À quoi servaient ces prévenances ? Pauvre Charles, ce n'est pas ce que le groupe attendait de lui. On le poussait doucement vers un autre sujet. Chaque soir l'apéritif n'était qu'une progression hypocrite vers la question importante, celle qui définit un homme. Durant la dernière soirée, après avoir bien louvoyé, ils finissaient par la poser : est-ce que cela ne lui pesait pas, à Charles, l'absence de relations sexuelles ? Axel, s'il avait bu, le torturait au même titre que les autres. Et Charles, éméché, les yeux étincelants de diablerie, lui l'homme de Dieu, essayait d'esquiver. Assis en short, nu pour ainsi dire, ses doigts de pied caracolant de nervosité dans ses sandales Saint-Jacques-de-Compostelle, les mains jointes devant lui tout de même, il déclarait que l'amour de Dieu est un hédonisme en soi. Les autres renchérissaient : oui, mais une femme ! Chaque membre du groupe, tour à tour, s'autorisait à lui taper sur la cuisse, ils se rapprochaient, enhardis par le pastis. Ils insistaient, lui demandaient bon sang s'il ne voyait pas la beauté des femmes, si ça ne lui réveillait donc aucun fourbi ? Est-ce qu'il avait des désirs ? Est-ce que les péchés qu'on lui confessait ne lui donnaient pas des idées ? Non ? Non ? Est-ce que ça s'était éteint au point que ça ne marchait plus ?

Une poignée de mois, et mes amis eurent les mêmes curiosités à mon égard. J'étais déjà journaliste. C'est un métier qui vous unit à beaucoup de monde. Je vivais au milieu d'une bande. Parfois, on était dix, rien que pour un dîner de semaine improvisé. Et presque tous allaient par deux, ma solitude ne pouvait pas passer inaperçue.

Il y avait ce couple, Vionne et Carlos. Ils étaient les plus redoutables. C'est fou ce qu'un couple arrive à clamer en chœur. Au début, ils avaient admiré mon courage. J'avais pu me sentir une héroïne. Ce temps de communion était révolu. Là, ils avaient à peine dit bonjour, ils demandaient si j'avais rencontré quelqu'un. Après que j'aie secoué négativement la tête, ils faisaient ceux qui en perdent leur latin. Ils voulaient savoir comment c'était possible : est-ce que je faisais le nécessaire ? Ils évaluaient mes vêtements d'un air entendu. Aucune robe n'était assez échancrée. Mes cheveux trop en bataille. Mes jambes, les montrer. Cesser d'être si camarade. Et les talons, pourquoi je ne portais pas de talons ? Une théorie de Carlos : que les talons étaient les indices décisifs de l'accessibilité des femmes, puisque, perchées, on ne peut pas partir en courant. Et c'est vrai que si je me comparais à Vionne, longs cheveux lustrés de Vionne, talons abusifs vertigineux de Vionne, je devais admettre que de nous deux, c'était Vionne qui attirait les hommes, elle qui en avait déjà un, un Espagnol en plus.

Je l'avais remarqué à la mort de mon père, aucune convalescence n'est autorisée à durer. Les gens tolèrent votre inactivité pendant un laps de temps, hélas du jour au lendemain ça s'arrête. Vous êtes toujours dans la perte, eux ils ont fait votre deuil. C'était pareil, là. Ma liberté devait être assortie d'une disponibilité, sinon elle était un désordre. Je me débattais à plaider ma cause. Je certifiais que j'étais bien, faible argument que je tâchais d'étayer en évoquant Robert Redford qui m'aimait. Ils étaient effondrés. Une chance que, grâce aux mises en garde d'Axel, je puisse cacher l'histoire de mon oreiller. Ils m'auraient pulvérisée. Rien que Redford, ça les mettait hors d'eux.

« Tu rêves debout ! » ils me disaient. Et coup d'œil cette fois moins clément sur mes boots plates. À quoi cela aurait servi d'apprendre à Carlos que Coco Chanel avait eu les mêmes, qu'elles venaient de chez Church, et qu'on me les avait faites exprès d'après un modèle d'homme. Que je les avais attendues neuf mois.

S'il y avait une fête, ils venaient à tour de rôle s'asseoir auprès de moi, m'exposer ce qu'ils entendaient me voir vivre. Ce que je méritais. À bien y regarder, ils voulaient que je sois comme eux. Elvire, vissée dans un couple, oubliait qu'elle avait un mari dépressif. Guillaume, marié à une torturante, me jurait que, si on se tenait à carreau, si c'était amen à tout, on s'en sortait. Maria, qui n'en pouvait plus de ses enfants et voulait que j'en fasse. Assia, qui aimait les femmes mais sa mère en mourrait. Patrizio, avec la jalouse chronique, des bleus à l'épaule. Aucun ne supportait ma solitude parce qu'elle aurait pu être la leur. Et après, du côté des marginaux, Sabine et William, mornes échangistes, devaient absolument rester ensemble pour avoir quelque chose à échanger. Eh bien ceux-là aussi ils me trouvaient spéciale. Je découvris des convenances dans les univers les plus libérés. Des gens évolués, contre n'importe quelle forme de censure, ils se vantaient de braver les limites. Moi je les explosais dans l'autre sens, et ils levaient les bras au ciel. Ils avaient absorbé les drogues les plus touillées, les plus inutiles, s'étaient mis dans des états tels qu'ils ne s'étaient pas doutés que j'étais un témoin. Moi je m'injectais dans les veines l'idéal le plus pur et de la meilleure qualité qui soit, et je les choquais.

Le dîner chez le conservateur du musée de l'Homme, où ils avaient si fort l'espoir de me présenter quelqu'un. J'étais entrée et je l'avais reconnu sans difficulté, il fumait, hérissé de défiance, près de la fenêtre ouverte. Il était enragé à l'avance, je le concevais tellement bien, d'être venu pour vérifier si je lui plaisais, au lieu que ça lui tombe dessus. En amour, quel éteignoir quand ce n'est plus un miracle qu'on espère mais une éventualité.

À table, placé exprès à côté de moi, cet homme se sentit obligé, au cas où on m'aurait alertée sur sa situation, de la minimiser. « Il m'arrive des trucs par-ci, par-là », m'informa-t-il. Que je n'aille pas croire. Que je n'aille pas me l'imaginer, celui-ci, embrassant son oreiller dans la nuit interminable. Je l'avais surpris en train de sucer des pilons de poulet sans se rendre compte qu'on les avait désossés, c'était drôle sa stupéfaction devant le rien qu'il avait bientôt eu dans les mains. Au bout de la table, Henrietta me faisait des clins d'œil.

Puisque nous étions dans la même situation, il me parlait à cœur ouvert, je sus les particularités de ses deux précédentes aventures. Une fille à qui il avait dissimulé son identité afin que, au cas où elle s'attacherait à lui, elle n'ait aucun moyen de retrouver sa trace. Et une autre créature, dix-neuf ans, prudence vis-à-vis de celle-ci également, elle était érythréenne, sans papiers. Il se méfiait des pièges, il ne voyait pas qu'il était déjà tombé dans le pire, le cynisme. Il versait deux mille cinq cents euros par mois à la mère de son fils. Je voyais bien qu'il se rongeait la patte.

Au moment du départ, il y eut un flottement où tous nous percevions qu'on nous poussait, cet homme et moi, vers un goulet d'étranglement, dans lequel nous n'aurions plus d'autre choix que de nous acoquiner. Je n'oublierai pas l'expression de cet homme à la seconde où j'annonçai que je ne partais pas. Il avait son manteau sur le dos, il s'était résigné à m'emmener, et je ne venais pas. La porte se referma sur son visage. Mes amis se tournèrent vers moi. C'était la guerre.

On partit s'asseoir dans le salon. Mon Dieu, quelle docilité j'avais…

Trois couples, et moi en face. Le conservateur du musée debout près de sa cheminée, en autorité intellectuelle. Lui aussi accompagné, son petit ami dans un pouf à côté de lui. Et ils commençaient. Pourquoi n'avais-je pas proposé à cet homme d'aller prendre un verre ? Pourquoi n'avais-je pas prononcé la phrase suivante : « Je serais ravie de te revoir » ? Pourquoi avais-je eu des yeux de loup (je les avais eus, apparemment) au lieu d'avoir des yeux de louve ? Pourquoi ne savais-je pas être simplement une féline ? Ils me fonçaient dessus les crocs dehors et c'était moi l'animal déséquilibré. Henrietta avait dit : « Laissez-la. Si elle n'en éprouve pas le besoin... »

Cette personne sans besoin, on l'accueillit dans les maisons de vacances, une enfant supplémentaire. Juste avant l'été, Vionne avait proposé : « Pourquoi tu ne nous rejoins pas à Hydra ? » Et puis : « Tu sais bien qu'il y aura toujours une place pour toi. » Et moi, à cette formule magique, j'avais oublié mon appétit de renaissance, mes grandes ailes fertiles et le monde ouvert, à ma disposition. J'avais pris le billet d'avion, j'avais débarqué à Athènes, je m'étais précipitée dans un taxi, le port du Pirée, de là un ticket pour Hydra, de là le bateau. L'eau éclaboussait les hublots de l'hydroglisseur, on ne voyait pas dehors. Dedans, ce n'étaient que des familles, des groupes et des gens par deux.

Mes amis – quatre couples et Henrietta –, venus m'accueillir sur le quai à Hydra. Les enfants avaient applaudi ma sortie du bateau, avant de courir s'accrocher à mon cou. Carlos me retirait la valise des mains. J'avais jeté un arrogant sourire vers les autres passagers, je tirais vanité d'avoir un groupe. On est si faible.

La maison était en haut du village. Les enfants essayèrent de me l'indiquer, ils désignaient tous des directions différentes. Ensuite, on m'expliqua qu'elle était fabuleuse. Elle n'était pas pied dans l'eau, elle était nez au ciel, par cet été caniculaire le moindre souffle de vent était pour nous. Bref, c'est vers un éden que je montais. Léger bémol en apprenant qu'il n'y avait pas tant de place que ça dans la villa époustouflante. En fait, il n'y avait pas de chambre pour moi. Cet aspect des choses n'entamait pas leur bonne humeur. Pour les enfants, c'était une source de joie complémentaire. J'allais jouer avec eux au lieu de rester dans mon coin. Je proposai d'aller à l'hôtel. Non, ils disaient qu'ils avaient demandé : à cette époque c'était bondé. Et personne n'avait l'intention de m'abandonner. J'allais partager quelques jours la chambre d'Henrietta, Pierre n'arrivait qu'en fin de semaine. Après j'irais avec Rosa, la fille de Vionne, on m'arrangerait un lit. Ces projets imminents étaient énoncés au milieu des marches chaulées d'Hydra, des maisons ravissantes, en bas le cliquetis des mâts sur le port, en bas la mer. J'aurais la vue. Mes amis qui m'aimaient. Les enfants m'enlaçaient les hanches. Carlos portait ma valise. Je réfléchissais vite. Qu'aurais-je fait d'une chambre à moi ?

L'envie

Le matin, je me levais avant Henrietta. Les chambres donnaient sur une immense terrasse. Je ne savais pas trop où aller sans déranger les dormeurs, les couples. J'allais vers une chaise longue, lire un livre. Le bois de la chaise grinçait, ça me crispait la nuque. Avais-je fait trop de bruit ? Dès qu'un enfant se doutait que j'étais réveillée, il apparaissait devant moi, il me tendait une boîte de céréales. Il avait faim. Je me levais avec des précautions inutiles, car l'enfant cavalait vers la cuisine en faisant claquer ses pieds sur le carrelage. Je lui apprenais comment chuchoter. Il pensait que c'était un jeu, il parlait tout bas avant de pousser les cris les plus stridents qui soient. Les autres enfants arrivaient les uns après les autres. Je mettais le couvert sur la terrasse. Je faisais chauffer le lait, je sortais les marmelades. À table, j'éloignais les abeilles, elles leur faisaient peur. Je leur racontais des bribes de *L'Odyssée.* Ils m'écoutaient. Le bras tendu je ne cessais de désigner la vaste Grèce, la chemise de nuit m'improvisait un drapé mirobolant pour un enfant. Ils disaient : « Tu es belle. » Ils demandaient pourquoi je n'avais pas d'amoureux. Je répondais que c'étaient eux, mes amoureux. Ils m'embrassaient le bras. Ils roulaient leur nuque dans mes côtes. Ils me confiaient des secrets que je ne trahirais pas, sur des mots crus qu'ils avaient entendus, des actes nocturnes des parents. Sans que je le dise, ils se mettaient à débarrasser la table, pour prouver dans quelle communauté nous plaçait notre entente. Faire du bruit n'avait plus d'importance et voici qu'ils murmuraient. Ils disaient : « On t'aime. » Je comprenais comment, à d'autres époques, d'ailleurs pas si lointaines, des femmes avaient pu ainsi s'insérer dans des familles, élever les enfants qu'elles n'avaient pas enfantés et se trouver à prendre une place capitale.

Un rallye automobile dans le Sahara. Il m'avait emmenée. Elle avait trop de travail, elle ne pouvait pas voyager. Il avait failli ne pas partir. Personne n'avait envie de l'accompagner dans une vraie compétition, où on dormait quatre heures par nuit, où on avait du sable à la racine des cheveux. Et puis il avait pensé à moi. Sa femme avait dit : « Avec elle, d'accord. »

Le matin, nous roulions en chantant jusqu'au moment où on s'enlisait. Les roues patinaient quelles que soient les manettes actionnées. Dix fois par jour il fallait sortir les plaques de désensablement. Dès deux heures de l'après-midi, on était épuisés. Heureusement la nuit tombait tôt. Dans les étapes « duo », le soir on ne devait pas rejoindre le campement. C'était le règlement. Il fallait se débrouiller. On dînait de conserves et de biscuits. On mettait des heures à monter la petite tente, et quand elle était à peu près convenable, on se glissait dedans, surexcités. On avait tellement ri. On n'avait plus sommeil.

Un soir, on était tous les deux côte à côte, sur le dos, chacun enveloppé dans des duvets écossais, les fermetures Éclair remontées jusqu'au nez. En février, les nuits du Sahara sont glaciales.

Il demanda si ça ne me manquait pas.

La netteté de l'air me donnait envie d'être loyale. J'admis que, de temps en temps, je me posais des questions. Est-ce que j'avais tant le choix que ça ? J'avais l'impression que ce choix, c'était surtout soit retourner avec des hommes, soit redevenir une enfant. Que faire d'autre ? Je n'aurais pas su dire ce que j'avais fui, mais ma seule certitude était de planter mes sabots dans le sable à l'idée d'y retourner. Alors ?

Il m'écoutait. M'écoutait-il ? Je n'entendais qu'une respiration régulière. J'en étais à me demander s'il ne s'était pas endormi dans le noir de la tente. « La vie est toujours difficile. » Je crus qu'il m'en informait comme si, à cause de mon absence de sexualité, j'étais une extraterrestre à qui il fallait résumer les coutumes des humains. Mais non, il s'épanchait. Il disait que les corps liés par l'amour aussi ont leurs soucis. Lui, même lui, malgré ses sentiments, cette femme à qui il avait voué son corps, il devait lutter. Certains soirs, il ne savait plus entre le besoin d'être accueilli, la crainte de décevoir et le vrai désir, ce qui le poussait à proférer des mots d'amour. Il me racontait les soirs où il se percevait comme un fauve. En rentrant chez lui, il avait des idées d'évasion terribles. Il s'imaginait une double vie, il serait un espion, il pourrait se permettre bien des écarts. Et derrière le métier de l'ombre, lequel n'était qu'un alibi, il reconnaissait en lui l'affamé sexuel. Le soir, en rentrant du travail, il rôdait dans le bois de Meudon, vers où attendaient les travestis, l'esprit plein d'initiatives charnelles n'aboutissant nulle part, car sans trop savoir il se retrouvait en bas de chez lui. « Tu t'en sors pas si mal », il me confia sous la tente. Il n'en dirait pas plus. Sinon, à cause de la qualité du silence, on pourrait nous entendre jusque là-bas à Meudon où était son amour.

Celui-ci, il avait été une star. À présent, il allait seul le soir dans ce restaurant du Palais-Royal, il se mettait à une table, réservée, en retrait. D'une certaine manière, il se donnait toujours en spectacle : la salle entière assistait au repas de sa mélancolie. Les personnes avec qui j'étais ce soir-là le connaissaient. On s'arrêta. Il désigna les chaises vides autour de lui, elles proclamaient un désert plus aride que le Sahara. « Voulez-vous vous joindre à moi ? » S'il le disait à tout le groupe, c'est sur mon bras qu'il tira, comme on le ferait d'une veloutée sonnette ancienne, pour me forcer à m'installer près de lui. Il s'octroyait les femmes d'un hochement de tête. Mes camarades étaient déconcertés. Moi aussi, je m'interrogeais. Qu'avais-je, moi, si en retrait, qui puisse intéresser un tel homme ? En aparté, il me demanda ce que je faisais au milieu de ces gens, comme si je méritais mieux. Ça donnait une idée du peu d'amis qu'il avait, puisque ceux-là, qui de toute évidence en faisaient partie, il les méprisait. Je répondis qu'on ne peut pas tout refuser et que ces amis me distrayaient. Aussitôt il demanda si j'étais quelqu'un de très seul. Je n'arrivais pas à décider s'il le devinait ou s'il espérait et voulait m'épouser. Les contes de fées existent dès qu'on ne fait plus l'amour. Je n'avais pas de besoins et l'inespéré me tombait dessus. Ces choses semblent un jour normales au rêveur. « Je suis très seule, et vous ? » j'osai. « Moi, souffla-t-il, moi rien. » Il ajouta : « Moi, heureusement j'ai un Monet… » Je sus très exactement de quelle sublimation il me parlait, je voyais un refuge dans l'art. J'avais pour projet de vivre dedans, sans Monet, avec mes livres, les beaux films, la musique. Je donnai un doux, un confraternel coup d'épaule à l'épaule de cet homme. Il m'enlaça, non sans expliquer à la tablée que je lui étais sympathique. Je venais d'apprendre qu'une grande solitude sait toujours parler à une autre.

Il nous abandonna sur le trottoir devant le restaurant. À peine son dos culte et brutal s'éloignait-il dans la rue, chacun y allait de son anecdote. Les mœurs de ce bel homme, inventaire de ses maîtresses et amants, furent établies en quelques minutes. On est éberlué de ce que les gens se permettent de dévoiler sur l'intimité d'autrui.

IV

Henrietta disait que j'étais un miroir. Elle se postait devant moi les bras le long du corps, ses yeux dans mes yeux, la tête penchée, elle comparait son mystère au mien. Je n'osais pas bouger, imaginons que ça ait détruit quelque chose à notre honnêteté. Elle, l'opposé de moi, née pour se rapprocher et construire, même son don pour les langues mortes avait fait partie de son penchant pour la proximité, et elle me soutenait que mon existence l'apaisait et que j'avais raison de reprendre mon souffle.

Elle avait été la première de mes amies liée à un homme par l'amour. Pierre, alors étudiant en droit, chez elle à 19 ans, imbriqué dans son existence. La première à en accepter les conséquences. Elle accordait volontiers que le corps de l'autre est encombrant. Ça ne changeait rien à son consentement. Elle avait décelé plus tôt qu'une autre qu'on n'a rien sans rien. Et c'était cette Henrietta à la totale conformité, qui se détachait du groupe, venait vers ma différence, et, dans une complicité joyeuse, me cajolait en bordure de la tribu.

Or, un jour, nous étions au hammam, mon amie avait tourné vers moi son visage détrempé et elle m'avait demandé : « Ça fait combien de temps que tu n'as plus rien ? » Plus rien ? Je n'en revenais pas qu'elle, elle pose la question. Je lui rappelai que je lévitais et que Robert Redford m'aimait. Elle essuya les gouttes de trop, elle lâcha : « On peut pas appeler plaisir le délire. » Au point que je me demandai comment elle appelait le plaisir, alors. Hélas, je n'étais pas en position de parlementer. Car, déjà, Henrietta entendait calculer sur ses doigts le temps indécent de mon austérité. Elle avait compté encore une fois, pour me donner une seconde chance, au cas où elle se serait trompée. Elle retombait sur la réalité. Mes extases, mes chères extases, se désagrégeaient. Je me sentais l'élève nigaude, qui croit avoir réussi l'exercice, et puis l'instituteur relit sa copie en barrant la moitié des mots. C'est malheureux, quelqu'un que vous aimez et qui ne vous suit pas. Et que voulait-elle m'enseigner, en contestant mon équilibre ? Rien n'avait changé depuis le latin, j'étais incapable de progresser.

Aussi soudainement qu'elle m'avait tourmentée, elle avait dit : « Oublie ce que je raconte. »

L'endroit s'appelait le « parc à monstres ». Moyen-
nant l'acquittement d'un droit d'entrée, les enfants
se ruaient sur des toboggans, des murs d'escalade,
des balançoires, des pirouetteurs à trois places, et de
là, ils criaient « maman ». Même indépendants, ils
guettaient une attention. Elle, à mes côtés, elle devait
se lever et ovationner les siens. Elle se plaignait d'être
harcelée par leurs demandes. En revanche, s'ils se tai-
saient elle se levait, aussi elle croyait les avoir perdus.

On avait sympathisé à l'université. Aujourd'hui,
elle vivait à Bâle, aux antipodes de l'ancien quotidien de la rue des Écoles et des cycles de la Ciné-
mathèque française. Plus rangée qu'un présentoir,
son sac hors de prix en compensation du foutoir
prometteur d'hier. Elle était la compagne d'un
industriel, spécialisé dans la biotechnologie. J'étais
en train de songer que ce ne devait pas être très gai
d'habiter à Bâle. Justement, elle entreprit de me
dépeindre la mirifique activité sexuelle de son
couple. Il s'en passait de belles à Bâle, pour ainsi

dire. Voici que ces gens étaient obsédés. Le pénis de l'industriel était à mettre au rang d'une poupée insatiable. Elle ne voulut oublier aucun détail. Mais il y en avait trop, elle dut renoncer à énumérer ses satisfactions. « On n'arrête jamais », elle avait résumé. Elle trouvait que le sexe était une chose si naturelle. Comme respirer. Cet attrait pour les plaisirs provenait d'un don qu'elle avait, le véritable don de jouir. À Bâle, elle se mettait sur son balcon, caressait le bois de la rambarde, et remerciait le ciel d'être une épicurienne, d'apprécier la salive, le riz au lait, les jus et les corps. Elle s'achetait des dessous affriolants dans une boutique londonienne que sans doute je ne connaissais pas. Elle prenait l'ensemble, c'était plus joli. Elle usait davantage les hauts, l'industriel les déformait en tirant dessus. Elle possédait trop de boxers en soie, elle m'en apporterait lors d'un prochain passage à Paris.

Bien qu'au-delà de contentée, elle avait envie d'autres hommes. Elle avait passé des années à dissimuler certains rêves à son compagnon. Elle avait eu tort. Quand elle s'était décidée à mettre cartes sur table, ça avait été productif. L'industriel avait adoré cette idée qu'on puisse formuler des désirs. Il avait annoncé ses propres marottes, parmi lesquelles figurait une autre femme au milieu d'eux. En pensée, il les voyait elle et cette femme faisant l'amour, et lui à son tour faisait l'amour à cette femme et à elle, et de la sorte chacun avait fait l'amour. Elle avait pris goût à ce scénario. Que je n'aille pas le prendre mal, c'était surtout moi qu'ils imaginaient. Ils se représentaient ma pudeur, mon refus timide. Ça les électrisait.

Je la connaissais par la bande. Une fille de la nuit. Je sortais peu, mais dès que, exténuée, je quittais une fête, elle y arrivait. Elle avait pour moi un élan, comme si c'était la bonne surprise de sa soirée de me croiser. Elle demandait : « Tu pars déjà ? » Il était quatre heures du matin.

Elle s'était procuré mon numéro. Je ne pouvais ignorer que ce rendez-vous serait important puisqu'elle me l'avait demandé une semaine à l'avance, en balbutiant au téléphone. Splendide fille assise devant moi, cambrée, ses seins sous le pull ajusté. Sa haute queue-de-cheval, la nudité de son visage, au milieu la bouche écarlate.

Dans les yeux, la possible noirceur.

Ses mains à plat sur la table de formica du café, elle était venue pour me dire : « Je t'envie. » Elle voulait exprimer son respect pour ma solution sans hommes. Aussitôt qu'elle avait appris ce que je ne vivais pas, elle avait échafaudé de s'ouvrir à moi. Il avait fallu ensuite des mois pour qu'elle décide de m'appeler. « Tu m'impressionnes », elle disait. Hongroise. Son français était excellent. Elle avait étudié la géographie à Paris, elle vivait à Bruxelles, elle travaillait au Conseil de l'Europe depuis an. Elle allait faire carrière. Elle avait accompli ces prodiges pour quitter son pays. Mais elle n'avait pas que ça à dépasser, elle avait d'autres choses à abjurer. Elle était la proie des hommes depuis l'adolescence. Ses seins et ses hanches s'étaient précocement précisés, ils avaient signé la fin d'une harmonie. D'aussi loin qu'elle se souvienne, elle s'était laissé emmener par les hommes. Elle se pliait aux sensations qui montaient. Bien que. Ça lui apportait un plaisir qui, au fond, l'indifférait. À 16 ans, dans sa ville de Debrecen, Hongrie, les garçons l'accablaient de compliments près du lac à côté de chez elle, elle avait l'intuition qu'un jour, elle en aurait par-dessus la tête d'être une femme consacrée. Et aujourd'hui, les hommes, elle en avait fait le tour. Elle avait tardé à se le formuler. Elle reconnaissait que la plupart du temps on se tait pour la seule raison que si on avoue les choses, on n'aura plus aucune excuse de ne pas évoluer.

Je voulus savoir pourquoi elle me disait ça à moi. « Parce que je suis comme toi », elle me répondit. Je demandai si je pouvais aider en quoi que ce soit. Elle eut un furtif mouvement de côté, ses seins dans le pull devinrent plus volumineux, et je vis foncer vers mes lèvres la bouche écarlate de cette fille. Aussitôt je me protégeai le visage. La bouche était si pleine et fardée que l'ongle de mon pouce put s'enfoncer dedans au moment où je me défendis. Mon thé se répandit sur moi. Elle essayait d'éponger avec une serviette.

Elle avait cru, puisque je n'allais pas avec les hommes, que j'irais avec les femmes.

Café Le Bonaparte, je venais de raconter à Axel le thé renversé. « Quel malentendu... quel malentendu... », je n'arrêtais pas de dire. Je me reprochais la violence de ma réaction.

Il m'avait écoutée en mâchant des cacahuètes. J'attendais que sa pensée tombe d'aplomb sur la mienne, c'était rituellement le cas. Or, à l'encontre de nos accords, alors qu'il tendait l'écuelle vide au serveur, il me demanda : « Et si tu aimais les femmes ? » Il me réexaminait avec une acuité passionnée, comme s'il y avait un lièvre à lever. Axel me connaissait depuis l'enfance. Il m'avait appris à nager, il m'avait retiré les bouées un jour et m'avait fait croire, dans la piscine, qu'il avait la main sous mon ventre tandis qu'en réalité il me laissait flotter seule. Il ressemblait à Richard Burton. J'avais fait des études de linguistique, j'avais failli devenir informaticienne à cause de lui. Il avait prédit les autoroutes de l'information, la divulgation de la vie privée, l'instantanéité, le rayonnement du virtuel, les films moins chers, la musique gratuite. Et cet homme avant-coureur me demandait si j'aimais les femmes ?

Je restai un temps indéterminé dans la profondeur de mes goûts, à chercher dans une nuit peu visitée, ce que j'aimais, ce que je n'appréciais pas, ce qui, nonobstant mon absence de sexualité, résonnait en moi et ce qui se taisait. Au total, j'avais fait le tour de mon être. Je levai le menton vers Axel : « Non, moi ce sont les hommes. » Ça le mit hors de lui : « Par quel miracle peux-tu en être si sûre, si tu n'as pas essayé ? » Je fis valoir que j'avais essayé, là, devant lui, pendant que je réfléchissais. Afin de prévenir une objection, je lui demandai si, lui, il pourrait aller avec un homme. À ma grande surprise, il reconnut que s'il ne s'agissait que de pénétrer un homme, ou d'en recevoir la caresse salivante, probablement il le pourrait. Au pire, en fermant les yeux, il n'aurait qu'à s'imaginer que l'homme était une femme. Il reconnaissait qu'il vaudrait mieux que l'homme ait les cheveux longs et les ongles peints.

On s'était quittés dans la rue. Une bourrade sur mon bras : « Eh bien, je vais te dire… Je suis désolé, dans cette ville saturée de femmes, que tu ne puisses en désirer aucune. » Est-ce qu'il savait qu'il parlait de lui ?

Gordon était mon voisin de palier. Toujours en costume. Dans la finance. La gardienne de l'immeuble et moi, on s'était étonnées qu'un couple bourgeois ait choisi de s'installer dans un atelier d'artiste. À la fête des Rameaux, sa femme, une petite personne affadie par une veste de chasse, accrochait une branche verdoyante à leur porte. Ils avaient trois grands enfants qui ne vivaient plus chez eux. Qui venaient le dimanche, contraints et sinistres. Aucun rire ne fusait, et pourtant j'écoutais. L'odeur du gigot réveillait chez moi ma nostalgie d'une famille. Après le bon repas, les enfants repartaient, ils dévalaient l'escalier. Ils fuyaient, en fait.

Une nuit, en rentrant du cinéma, je trouvai Gordon devant sa porte, assis en pyjama sur la moquette, à côté de son paillasson. Il avait effeuillé la branche verdoyante, certes séchée depuis des mois, et il l'avait réduite en poudre. Ça n'allait pas fort. Je crus qu'il avait oublié ses clefs, peut-être en descendant les poubelles, et puis sa porte avait claqué. Le côté saugrenu de la situation avait ôté à Gordon sa réserve habituelle : sur un simple encouragement de ma part, il me suivit chez moi.

On croit que les gens vont avoir des scrupules à se livrer, et puis c'est le contraire. Ce soir-là, Gordon avait essayé d'approcher sa femme. Ils faisaient chambre à part. Donc, ce qu'avait fait Gordon : il avait toqué à la porte matriarcale, il était entré, il était allé sur le lit contre le corps féminin, avec tendresse mais sans demander aucune permission. Elle, elle avait poussé les hauts cris, que j'aurais entendus si j'avais été chez moi. Pris de frénésie, aussi à cause des hauts cris, le fait qu'il se passait enfin quelque chose, il avait insisté, à savoir il avait jeté sa tête entre les cuisses de sa femme en grognant. Elle lui avait conseillé de ne pas être imbécile, et elle avait donné un coup de pied dans le vide, à part que ça avait touché Gordon dans le tibia. Il en avait été ulcéré et il avait proclamé : « Puisque c'est comme ça, je pars ! » Elle s'était levée avant lui, preste, elle avait ouvert la porte de l'atelier et elle avait dit : « La porte est ouverte. » Malgré la chemise de nuit entrebâillée de sa femme, sur son honneur il n'avait pu que sortir.

Il était navré de m'imposer son désastre. Il voulait repartir. Mais enfin, il ne pouvait pas partir sans cesse. Je l'avais rassis de force sur mon canapé. Depuis cinq ans, sa femme ne voulait plus qu'on la touche. Elle avait fait remarquer à Gordon que le corps des hommes est repoussant. La dernière fois, cinq ans auparavant, lui nu devant elle, ils avaient vérifié ensemble. Il n'avait pu qu'admettre l'étrangeté du physique masculin. Elle précisait : le corps de Gordon n'était pas plus disgracié qu'un autre, il avait la fatalité d'être plus près, c'est tout. Ces révélations avaient mortifié Gordon, sa mère autrefois l'avait déjà laissé à la garde du père. Un psychanalyste, chez qui il allait faire le clair, avait amené Gordon à comprendre, sans qu'on sache si c'était par solidarité masculine ou par freudisme, que trop c'était trop, et qu'il pouvait refaire sa vie. Après une interminable année de disette et d'introspection, Gordon avait proposé une séparation à sa femme. Elle avait refusé. À la place, elle avait organisé un quotidien d'où était banni le contact. Après cinq ans, elle ne touchait Gordon que si une poussière souillait son costume. Des fois, il s'en mettait exprès.

Gordon allait avec des prostituées. Il avait conscience qu'elles n'avaient pas de désir pour lui, du moins désiraient-elles peut-être un peu les circonstances, le bel hôtel, le mystère, la propreté de Gordon ? Il poussait jusqu'à placer le mépris frontal et audacieux de ces filles dans un avantage qu'elles auraient. Il avait commencé un soir à Nice. Il était dans l'ascenseur, il montait au septième. La porte de l'ascenseur s'était ouverte au troisième, sur une créature somptueuse, campée une main sur la hanche, un fin manteau de peau caramel. Sans bouger, elle avait annoncé, en français, fort accent slave : « C'est peau retournée. » Ces mots, plus que la fille, avaient captivé Gordon. La porte de l'ascenseur se refermait, la fille ne bougeait toujours pas. Adieu. Rien dans l'écrasement permanent que connaissait Gordon n'aurait pu lui donner la force d'émettre un désir. C'est alors que in extremis, révélant une force étonnante, la fille, elle, avait retenu la porte d'un seul doigt. Et elle était entrée. C'était clair qu'elle montait pour lui. Pas une seconde il n'avait pensé à sa femme. La vie de son corps n'avait plus rien à voir avec l'atelier parisien. Il venait de passer cinq ans sans rien tripoter d'autre que lui-même. Cinq ans il avait généré son propre plaisir, seul dans son lit, en voyage. Il avait vécu sur un groupe électrogène, en rêvant d'amour, et pourquoi pas de celui de sa femme. Et on sait que l'amour, c'est si difficile. Que la sexualité lui revienne en vice absolu, c'était l'aspect inespéré de l'histoire. Dans la chambre, le manteau de peau retournée avait glissé à terre. Il le fixait, les yeux en transe. Et ça, la fille l'avait remarqué, elle se souvenait de l'ascenseur, elle se souvenait que cet homme aimait les mots, et elle lui en avait dit. Lui qui avait ce dernier problème de savoir si son corps pourrait, il fut stupéfait par la facilité du désir. Elle lui jetait ces mots, des petits poissons succulents lancés à une otarie, il se jetait dessus le gosier ouvert, dans un état de bonheur indescriptible. En plus, bien entendu, la fille avait quelque chose dans le regard. Oui à une possible noirceur, à une disponibilité. Elle en fit la démonstration en ne se formalisant de rien. Il osa des requêtes sans nom. En remettant sur ses épaules le manteau magique, la fille avait dit le prix de sa prestation. Bien que celui-là fût exorbitant, Gordon avait trouvé que c'était donné.

Aucun homme ne m'avait raconté fréquenter des prostituées. Il avait fallu que je devienne cet individu neutre pour qu'on vienne à moi franchement.

Dès qu'elle rencontrait un homme, elle me téléphonait et m'offrait la primeur d'informations particulièrement fraîches, puisqu'elles me parvenaient de l'homme endormi dans la pièce à côté. Le téléphone sonnait chez moi aux aurores, j'avais beau savoir que ce serait elle, j'appréhendais. Les morts m'ont été annoncées au petit matin.

Nous avions ce cérémonial où elle disait : « Je ne t'ai pas réveillée, au moins ? », et où je mentais que non. D'une voix comique, étouffée, elle demandait : « Tu m'entends, là ? » Je la captais, dans la paix de mon lit. Elle était obligée de marmonner, pour ne pas réveiller le dormeur de la pièce à côté. Si c'était dans un hôtel, elle appelait de la salle de bains. À quoi bon se donner tant de mal ? Jamais elle ne réveilla quiconque à part moi. Au bout d'un moment elle oubliait sa prudence et s'exprimait normalement. Là-bas dans le lit, le partenaire ne cillait pas. Par quel prodige un homme aurait-il pu sortir des limbes après ce qu'elle me jurait qu'ils avaient fabriqué ?

C'était déjà insensé qu'elle soit en mesure de tenir une conversation, elle.

Chaque homme s'y prenait mieux que le précédent. « Avec lui, j'ai vraiment eu une révélation. » Elle oubliait qu'elle avait prononcé cette phrase des dizaines de fois. Elle me décortiquait un exploit, et un autre, et si je ne réagissais pas, elle en extrayait un troisième, le posait sur le billot. Elle le sortait comme un magicien des lapins d'un chapeau. Ou bien, c'était dans une globalité : « On n'a pas fermé l'œil de la nuit. » Moi je me disais : Si tout le monde faisait l'amour, on ne s'entendrait plus. Pour lui faire plaisir, je m'extasiais. Dans notre rite, il en fallait une pour prétendre avoir vécu des choses extraordinaires, et une autre pour confirmer sans le penser que c'était inouï. Je ne pouvais imaginer passer la nuit sans dormir.

V

Je ne sais pas si l'amour rend aveugle, mais j'ai pu croire que la solitude rendait clairvoyant. Parvis de la Défense, deux heures de l'après-midi, je m'étais installée sur un parapet. J'avais rendez-vous avec un ami de Pierre, pour le travail. Journée de mars, d'azur complet. Je piochais dans mon cornet de marrons. Des hommes et des femmes entraient et sortaient de sous la terre. Ceux en retard avaient les épaules relevées. Ceux en avance fixaient anxieux le centre commercial. À l'ombre des tours, ils grelottaient. L'Arche au-dessus de nous. Ses arêtes épargnées, au soleil. Ça aurait pu être un espoir. Pourtant la puissance de l'architecture, au lieu d'être sécurisante, ajoutait à l'urgence stupide de tout. C'était étrange de penser que chacun de ces êtres, les déplumés, les petits gros, les parcheminés, les lippus, les mal mis, les mauvaises cravates, les blafards, chacun d'eux un autre être pouvait les désirer. Je voyais comme sur une imagerie médicale ce monde entier confronté à la sexualité. Je concédais un rôle solennel à tout ça, certainement supérieur à mon inefficacité. On peut facilement accorder que les autres n'ont pas tort quand on est si heureux de ne pas penser comme eux. Cette foule, je m'en sentais tellement éloignée. Et si je ne partais pas, si je buvais tout ça, c'était que j'avais besoin d'être sur le parvis, il me fallait l'exemple de ces automates pris dans le social. Sans le réel, pas de chère évasion. On a un handicap, et puis on en fait une aptitude. Emmanuelle Laborit s'exprimant dans le langage des signes à la télévision : « J'ai un don : je suis sourde. »

Un homme, en passant, croisa mon regard. C'était un prodige qu'il y soit parvenu car je l'avais désormais fuyant, le regard. Il ralentit le pas, il se retourna désormais, quelques mètres plus loin. Un costume gris. Sa nervosité faisait danser son cartable sur sa jambe. Les pigeons avaient l'air d'être ses petits frères. Il achetait des marrons. Le vendeur indien proposa de les lui réchauffer un à un sur le gril. Il accepta. Le cartable à ses pieds, dompté. Et lui, cet homme, il allumait une cigarette, tourné vers moi. Sa convoitise contrariait ma belle journée. J'allais devoir changer d'endroit.

Personne ne pouvait ignorer que Stan était homosexuel. Sa beauté renversante. Son allure assis, bras et jambes posés les uns sur les autres comme un mikado, la netteté de ses doigts entrelacés. Les pliures magnifiques de ses pantalons. Son humour. À 39 ans, une vie passée à se décaler.

Il m'emmenait danser, à part qu'on n'allait pas se commettre sur la piste. On préférait examiner la population. On tombait sur une banquette à l'odeur douteuse, notre différence, nos impeccables pantalons blancs, notre parfum à nous à la lavande, je l'écoutais me décrire les autres, les gens normaux là sous nos yeux. Stan était styliste. Certains compulsent les archives de la mode, lui il se rengorgeait de l'inélégance des gens. Il les étudiait, et sa poésie finissait par s'élever au-dessus de tout ça, une réaction chimique. Je me demandais ce que l'humour et les vêtements l'aidaient à oublier. Il avait été séropositif, c'était comme s'il ne l'était plus. Il n'en parlait pas. Il fallait bien le connaître pour savoir ce qui se cachait derrière sa terreur des rhumes, l'ampleur de sa contrariété devant n'importe quelle maladie de peau. Une fois, affaibli par un épanchement de synovie, il avait disparu dix jours, on l'avait revu au Café Marly sanglé dans un blazer, une canne sculptée d'une tête de mort posée à côté de lui.

Certains soirs, il s'affalait sur ma joue. Ses yeux d'un bleu laiteux, un onguent, se coulaient dans mon âme. Chaque fois il avait un ricanement fautif, chaque fois il disait quel parfum je portais, me faisait croire qu'il était venu si près seulement pour le vérifier. J'aurais mis ma main à couper, en dépit de ce qu'on racontait sur les vices de Stan, sur un mot hallucinant tatoué sur son pénis, qu'il n'était comme moi qu'un spectateur de la sexualité, au-dessus de ça. Je me souviens d'une fille, une minijupe jaune citron, un débardeur noir, et les cheveux platine au-dessus. Elle fusait vers lui, elle l'avait reconnu ou bien elle le connaissait, n'importe, il m'avait serré le bras. « Elle me veut quoi, Maya l'abeille ? »

Vers trois heures du matin, deux assistants venaient le chercher : « Stan, on continue. Viens, on t'emmène. » Et ça, ça voulait dire des endroits de la nuit où ma féminité n'avait plus sa place. Il promettait de ne pas me quitter. Il voulait faire sa vie avec moi. Pourquoi on ne se mariait pas ? Les autres s'impatientaient : « Allez, grouille. » Il jouait à celui qui n'a d'ordres à recevoir de personne, pourtant il se levait, il remettait ses habits en place à quatre heures du matin, il reboutonnait la chemise dont il avait fait sauter quelques boutons. Il aimait me montrer son torse. Emporté par ses assistants, il agitait les bras vers moi en tortillant ses mains, il faisait celui qu'on arrache à un proche parent.

Un 25 décembre, je lisais *Vol de nuit*, d'Antoine de Saint-Exupéry, aux urgences de l'hôpital Cochin. J'avais marché sur une épingle, elle s'était cassée dans mon pied. On allait me la retirer. J'attendais, j'en étais à la moitié du livre. L'orthopédiste était entré dans mon box accompagné de deux étudiantes, il avait vérifié l'emplacement du corps étranger sur la radio, fait le compte des instruments sur la table roulante. Ses gants chirurgicaux enfilés, on l'avait appelé pour un cas plus grave. Il demandait où je situais ma douleur sur une échelle de 1 à 10. J'avais dit 2, je ne voulais pas être un poids.

La porte du box était ouverte. Dans le couloir, des gens inquiets en cherchaient d'autres. Ils vérifiaient qui j'étais. Ils repartaient déçus. Un aide-soignant, coiffé d'un bonnet de Père Noël, tentait de reconduire un clochard vers l'accueil. Il lui disait « Non, ce n'est pas possible que je te donne de l'alcool à 90. Non, même une gorgée, mon vieux. » Il lui avait mis la main à plat dans le dos ; chaque fois qu'il faisait

90

un pas, la clochette du bonnet chantait. Une femme la tête bandée sur un brancard le long du mur, on venait de l'amener, elle voulait se désaltérer. Une fille de salle, une Martiniquaise, disait que c'était au médecin de décider. La femme ripostait qu'elle était une patiente. La fille de salle répondait que les patients patientaient et que c'est même à ça qu'on les reconnaissait. Un homme, plus loin, hurlait. Peut-être que l'orthopédiste lui faisait quelque chose avant de s'occuper de moi.

Dans *Vol de nuit*, le pilote Fabien est épuisé par l'orage. Les courants lui crispent les bras sur ses manettes. Là où la météo annonçait des accalmies, il ne décèle plus qu'un ciel funeste. Il n'y a pas d'horizon. Le copilote n'arrête pas de demander si c'est grave. Le contact radio avec la tour de contrôle est rompu. Fabien est seul et cerné par la difficulté. Les nuages se liguent. Il n'a jamais voulu aller dans le noir. Il est endurant, pourtant il n'en peut plus. Une trouée dans le ciel fait apparaître les étoiles. Il se dit qu'il peut passer. Et il monte. Il file plus haut au-dessus des nuages.

Tard dans la nuit, l'orthopédiste et les deux étudiantes. C'était mon tour. Une des deux filles à propos de *Vol de nuit* : « Je l'ai lu au lycée. » J'expliquai que je venais de le terminer. Que c'était merveilleux : « Le pilote s'évade de l'orage. » Elle avait rectifié : « Oui, mais il meurt. » Et moi : « Ah bon, il meurt ? »

Je ne m'en étais pas rendu compte. Et elle : « Oui, bien sûr, il n'a plus assez de carburant pour redescendre. » L'orthopédiste n'aimait pas la nécrose autour du point d'entrée de l'aiguille. Mon organisme luttait pour expulser un corps étranger. Sur ce fait précis, ne plus tolérer aucune intrusion, on pouvait faire confiance à mon métabolisme. On m'emmenait au bloc. L'anesthésiste s'en excusait à l'avance, les piqûres dans le pied n'étaient pas agréables. Malgré ses vingt-trois heures de garde, ma réponse l'égaya : « Ça ira, je suis très idéaliste. »

J'étais chez le fleuriste. Éblouie par des pavots isolés dans un seau, je n'entendais pas le marchand me conseiller des roses énormes, arrogantes et sociales. Il avait fini par les brandir sous mon nez. Il les mettait si près, elles allaient me piquer. « C'est pas ça que je veux, monsieur », je lui avais dit. Désormais je disais ce que je ne voulais pas. Butée, je m'étais postée devant les pavots. De bien mauvaise grâce, en gardant les roses dans une main, il avait sorti du seau un maigrelet bouquet de pavots, cinq fleurs distraites partaient à droite à gauche. Il me tendait à la fois les roses et les pavots, pour que je mesure où était la suprématie. Puisque je persévérais, il avait demandé : « C'est pas pour offrir, hein ? » J'avais répondu que si. « Ah bon, c'est pour offrir ? » il avait répété, dans une dernière tentative. Il voulait au moins mettre deux bouquets, que ça ressemble à quelque chose. Je lui donnai raison et annonçai que dans ce cas je prenais les six bouquets du seau. Va savoir, ça ne le rassura pas : « Ah bon, tous les bouquets ? » Le désarroi est attendrissant. Un si jeune homme. J'avais dit que ce cadeau, il ne fallait pas qu'il s'inquiète, j'étais sûre qu'il allait convenir. Ce mot de « cadeau » avait rappelé au fleuriste que c'était donc réellement pour offrir, ce n'était pas une plaisanterie. Il s'était précipité vers sa table de travail, vers des branches d'eucalyptus et des fougères. J'avais dû lui expliquer que la personne à qui j'allais offrir ces fleurs n'aimait pas le feuillage. Que la personne à qui j'allais offrir ces fleurs voulait les fleurs pures.

C'est Henrietta qui avait eu l'idée, à Venise, de nous emmener au musée Correr. Elle avait juré aux enfants qu'il y avait une salle d'armes et des tableaux de dames costumées. Et à nous que les sculptures de Canova, on s'en remettrait pas.

Elle avait raison. Elles se trouvaient dans la galerie principale, à l'entrée. Des fresques de marbre figurant des saynètes. Henrietta décryptait ce à quoi elles faisaient référence. On l'écoutait distraitement. Connaître n'était pas le plus important, découvrir nous accaparait. À nous l'adorable indifférence des profils dans la pierre. À nous les épaules dans le prolongement des bras, les bras dans le prolongement des doigts, les petits pieds, les ventres cajoleurs, les mollets noués de muscles, les danses silencieuses. À nous les drapés, les lanières de sandales. Les enfants arrivaient à patienter, ils commentaient chaque planche, une bande dessinée. Le miracle des Canova agissait jusque sur Carlos, il voulait les prendre en photo, il ne comprit pas qu'un gardien le lui interdise. La fille d'Henrietta, elle, entreprit de les toucher. Ça au même titre que le reste, c'était hors de question. Pierre la força à reculer. Elle fit une crise de nerfs au milieu des touristes. Elle s'était accroupie de colère devant l'injustice, sa jolie robe vert pâle balayait le sol. Des larmes roulaient sur ses grosses joues, plus rebondies qu'avant, bourrées de mots qu'elle n'avait pas le droit de prononcer. Son idéalisme à elle qu'elle devait ravaler. « Menteurs ! Menteurs ! » elle nous criait. « Vous êtes tous affreux à part le beau ! » elle avait fini par nous lancer. À 5 ans, un génie. Elle comprit à notre air que c'était peut-être drôle, ce qu'elle avait dit. Soit elle s'accrochait à notre humour, soit elle s'enfermait dans le malheur. C'était la fille d'Henrietta et de Pierre, elle avait choisi la première solution. Sa bouche arrêta d'être carrée. La crise était passée. Posément, après s'être mouchée, elle demanda à son père si la raison pour laquelle on ne pouvait pas caresser les gens dans le marbre blanc, c'était qu'ils étaient morts. Pierre lui fit une réponse enjouée, en suggérant qu'à présent on se dirige vers les tableaux aux dames costumées. Les cheveux très courts de Pierre lui conféraient une autorité, il travaillait à la police criminelle. En quelques secondes, le groupe avait disparu.

Moi seule j'étais restée devant la blanche humanité. À désirer les profils.

Rue de Rome à Paris. Un gros homme au milieu des instruments à vent dans un magasin de musique. La trompette entre ses doigts, il la tournait et retournait, l'outil magnétique d'un roi du revolver. Ces films de cow-boys, gamine je n'avais eu pas le droit d'en profiter jusqu'à la fin, il fallait aller se coucher.

Silence dans le magasin quand l'homme sortit un embout de sa poche, le plaça sur la trompette, et l'amena à sa bouche. Ses joues se gonflèrent, à peine, ça n'avait pas le temps d'être ridicule. Alors s'élevait une musique lente, maîtrisée et pourtant d'un abandon, d'une sérénité qui n'avaient rien à voir avec les activités devenues incompréhensibles de la rue. Quatre doigts appuyaient tour à tour sur les touches, quatre doigts suffisaient. La caresse en personne. Le très suave de la mélodie, le corps conciliant et mélancolique de ce trompettiste obligeaient à reconsidérer son embonpoint, ses vêtements beiges, négligés, et dans la foulée la maladresse des hommes en général.

À la fin, on l'avait applaudi. Jusque dehors, ceux

derrière la vitre qui avaient si mal entendu, tapaient dans leurs mains presque muettes. Lui, pas une fois il n'avait levé les yeux, il fixait la trompette en se frottant le menton, soucieux. Aucun client n'osait aller le voir. Le vendeur, habitué, n'y allait pas non plus. Peu à peu, le brouhaha des voix était revenu. L'homme, dans son coin, continuait de juger les sons perdus.

J'allai vers lui. Imperceptibles pas enclenchés vers le mage. J'avançai, je dépassai le vendeur, les clients, les claviers, les guitares électriques, j'arrivais vers les saxophones. Il s'était poussé pour me laisser circuler. Moi : « Je viens pour vous féliciter. » Il était gêné que je sois une femme. La trompette l'encombrait, il cherchait où la poser, où s'en défaire. J'avais dit : « C'est doux, ce que vous faites. » Il avait haussé les épaules. « Vous avez déjà soufflé dans ce truc ? » Sa voix bourrue démentait ce qu'on venait d'entendre. Il me jaugeait. Il avait réclamé un embout neuf au vendeur. Il l'avait fixé à la trompette et m'avait tendu l'instrument : « Essayez donc. » Une espèce de provocation. Un ordre lancé par un extrémiste. J'avais soufflé dans la trompette, que faire d'autre ? Aucun son ne sortait. « Allez, essayez encore », il avait badiné. J'avais émis un son insignifiant.

Il s'était moqué : « Alors, c'est facile, la trompette ? » Et avait proposé : « Je vous invite à prendre un verre ? »

Il trouvait qu'il y avait deux catégories d'êtres humains : les hommes et les femmes. Une caste privilégiée se contentait du plaisir, c'était celle des hommes. Dans une autre, plus sentimentale, les femmes piétinaient. Il me parlait des femmes, des êtres différents de moi que nous aurions examinés ensemble : « Elles mélangent l'affectif et le physique. » Il ne lui venait pas à l'idée que cet amalgame puisse être un avantage ou un héroïsme. L'homme avait la capacité de jouir sans amour. La femme, pas. Je lui demandai s'il expliquait l'autoérotisme chez la femme, le fait qu'au moyen d'un jouet, elle jouissait si vite qu'après elle s'endormait. Il refusait que ce soit vrai. Je reconnus que c'était pourtant mon cas. Il était offensé : « Et si moi je vous parlais de poupées gonflables ? Ça vous plairait ? » J'opposai que selon moi il y avait plus d'affectif dans une poupée gonflable que dans un sex-toy. La poupée figurait la personne. Le sex-toy figurait la fonction. Il tenait la table à deux mains. Je crus qu'il allait la jeter en l'air pour quitter le café.

Comme si on était à un entretien d'embauche où je devais bien me tenir pour être prise, il fit remarquer que ce n'était pas très habile, la façon dont je me présentais. Ni très sexy. On aurait dit que ses arguments étaient plus attractifs. Il n'avait pu, les six derniers mois, se lier d'amitié avec aucune femme. « Dès que je suis adorable, elles me croient amoureux. » Même celles entre deux âges (je n'osai demander lesquels), la perspective du néant aurait dû les rendre modestes et besogneuses, eh bien non, elles avaient et des espoirs et des prétentions.

Il venait de terminer le livre *Les hommes viennent de Mars, les femmes viennent de Vénus*. Il tenait à prévenir que ce n'était pas le genre d'ouvrage qu'il achetait d'habitude. Lui, c'était Faulkner d'abord. Et Kierkegaard, est-ce que je l'avais lu ? Il n'entendit pas que je répondais oui. Dans *Les hommes viennent de Mars, les femmes viennent de Vénus*, une fois mise de côté, bon, la répugnance à feuilleter des sornettes, il avait eu confirmation de certaines choses. L'homme avait l'instinct de domination. L'homme était resté le chasseur du temps des cavernes. L'homme avait des désirs en permanence. Des ultimatums constants ici : d'un doigt, un de ceux qui avaient tenu la trompette, il me montrait vers un point de son corps.

L'art était une autre région où il ne laissait aucune femme le rejoindre.

Une amie du travail, désespérée ce jour-là. Les hommes, elle ne comprenait même plus comment on les rencontre. « Y en a pas », elle se lamentait. J'essayais de la détromper. Je lui parlais de Stan, elle demandait de qui je me moquais. On en guettait qui passeraient dans la rue. On n'en voyait pas. Est-ce que c'était un nerf qu'on nous aurait retiré, ou bien la plaie d'une civilisation ?

On disait ce qu'on ferait si on en remarquait un. On l'aborderait, on n'attendrait pas qu'il y pense. À moins que, coup de chance, séduit par notre existence, il stoppe en premier devant notre table. Elle ajoutait qu'on rêvait, que ça n'arriverait pas. Moi, ça me semblait possible, car je proposais que ce soit un homme insensé, cavalier, une sorte de dieu vivant. « Où ça, un dieu ? » elle contre-attaquait. Je répondais : « Un dieu dans l'absolu. » Là, si c'était un démiurge premium, elle était d'accord. On cherchait son métier. Elle compulsait les activités qu'elle connaissait. Elle trouvait « architecte ». Mais on en avait croisé qui n'avaient rien d'idoles. Nouvelle embûche. « Y en a pas, je te dis », elle recommençait. Alors je luttais contre son défaitisme, mon esprit allait jusqu'à découvrir le don de ce dieu : « Il est chef d'orchestre. La nuit son dos monte et descend pour la musique et l'amour. » Et elle était d'accord, elle était moins triste qu'avant. Elle quémandait ce qu'il avait encore de spécial. Et je disais : « C'est un grand Chinois international, rendu universel par les voyages et la fréquentation de Mozart. Il va de par le monde, il aborde des femmes, mais ce n'est qu'une distraction, un violon d'Ingres, il en cherche une en particulier. Il la reconnaîtra. De toutes les créatures, celle qu'il préfère marche sans entraves, ses enjambées élargissent la rue, elle flotte dans ses vêtements, la somptuosité de son corps ne se déduit qu'à ses attaches fines, ses secrets ne sont plus très loin. Il arrive. »

J'avais guéri l'absence qui la rongeait. Elle était comblée et moi vidée. Elle ne pouvait plus parler. Elle voyait le Chinois. Cet homme, je lui avais donné naissance.

Elle, plus simple que moi, elle le rencontrait.

Elle marchait devant moi rue d'Assas, et ses vêtements oscillaient, frôlant le sol, ils avaient cette cou-
leur sablonneuse entre le gris et le beige, celle des
tourterelles. Je la suivais. C'était à la fois comme si,
où elle allait, c'était mon chemin, mais aussi bien le
contraire, et je me tenais à distance du mieux que je
pouvais, envoûtée par nos différences. Qu'y avait-il
de commun entre cette femme et moi ? Je portais une
robe vermillon ouverte devant, et mes sandales
blanches à talons me faisaient, du moins je l'espérais,
des beaux pieds. Elle, une autre situation. La robe
plus qu'austère, les épaisseurs. La guimpe au décol-
leté. À quoi ça servait, ce costume ? Je me le demandai parce que son visage, en partie escamoté, était
serti par le tissu au point d'en devenir bien plus offert
que dissimulé. Son effacement me parut discutable,
comparé au mien. Laquelle de nous deux était la plus
remarquable, dans la rue calcinée de juillet ? Il me
parut évident que sa tenue servait à prévenir. « Ne
me touchez pas. » Il s'agissait d'un avertissement

permanent et capital, à renouveler chaque jour, pour se protéger du désir.

Elle se penchait devant une boulangerie, son visage se reflétait dedans. Ce visage. Le dépouillement filait jusque sur ses tempes, lui coulait en abnégation sur les joues. Une tension primordiale, chez elle, n'existait pas. Elle était remplacée par une imprécise quiétude. Un abri, elle, elle en avait un. Je repensai aux paroles oiseuses des gens de Dieu. Les allégories, les « jusqu'au fond des ruelles jusqu'au bout des chemins répandons la nouvelle que Dieu s'est fait humain. » Ces choses en quoi je ne croyais pas. Qui ne me seraient d'aucune aide. La destinée devait être simple pour la jeune sœur qui poussa une porte et disparut, me laissant le temps d'entrevoir un cloître à toute épreuve.

VI

Je lui voyais les yeux bleus, il me jurait qu'ils étaient verts. Je le voyais beau, il en toussait de stupeur et m'assurait que, beau, ah il ne l'avait jamais été. Je le voyais magistral, il se leva de table rien que pour modérer mon hallucination. Debout, il soupirait en laissant tomber ses épaules. Quand il reprit place à côté de moi, au milieu de personnes avec lesquelles il n'avait plus aucun rapport, je l'aimais.

Lui essayait de ne pas se compromettre, de simuler celui qui se moque d'être choisi. Mais régulièrement, à ce dîner, la curiosité lui commandait de poser sur moi ses yeux déconcertés. Je mettais dans mon sourire ce qui n'était pas mon corps et savait voler. C'est parce que je ne savais réveiller rien d'autre. Je lui murmurais des choses drôles. Rien que son rire me ravissait. Lui n'en revenait pas d'être remarqué. Il avait l'honnêteté de ne pas dissimuler sa surprise. Peut-être qu'une telle aventure ne lui était jamais arrivée. Bien qu'estomaqué, il autorisait mon insistance, un doux front de compréhension, quelqu'un qui au moins accepte d'y réfléchir. Mes doigts effleurèrent son poignet, il referma sa main sur la mienne et ne me lâcha plus.

Dans la rue, je fixais les grappes de fleurs des marronniers en balançant ma tête en arrière pendant qu'il me mordait le cou. J'étais presque torse nu, calée contre une voiture. Avec ses hanches, à travers les vêtements, l'homme mimait le mouvement auquel j'avais renoncé. J'avais oublié la précision de ce balancement humain. Le désir et ses preuves, il fallait y penser. Serais-je ridicule ? Je le serais. Déjà, mon corps se cadenassait aux endroits stratégiques. Déjà, des volets claquaient, c'étaient de part et d'autre mes sécurités qui s'enclenchaient. Les fameux gestes qui ne s'oublient pas, ceux qu'on sait avant de les apprendre, où étaient-ils ? La peur continuait de me grimper le long du dos, des griffes de chaton. Mes bras lestés de plomb décourageaient les caresses de l'homme, ils se mettaient en travers de chaque tentative. Il ne comprenait plus où me toucher. Qu'est-ce que j'aurais dû faire ? J'étais anéantie par une inertie. Comment s'y prenaient les autres gens ? On aurait dit que, dans un sursaut de témérité, l'amoureux accidentel risquait de me l'enseigner. Il essaya de m'attirer de nouveau contre lui. Je le rejetai contre un tronc de marronnier. Les brûlures de méduses qu'on jurerait cicatrisées, une exposition

prématurée au soleil les fait réapparaître, épouvan-
tables, intactes et kaki. Et l'homme ne put rien, vraiment personne n'aurait pu quoi que ce soit cette nuit-
là au désespoir aboyant dans mon cœur. Je n'aimais
personne.

Je peux témoigner qu'un chagrin d'amour, ça peut être sans amour. En me regardant dans la glace le lendemain, à la place de mon corps, de mon visage et de mes poignets que j'agitais pour vérifier, je n'avais plus que ma personne indéterminée. Moi anciennement le miroir de mes amis, en une nuit j'étais devenue une forme floutée, de celles qu'on voit à travers un carreau cathédrale. N'importe quoi se révélait plus solide que mon être : en transparence, je croyais deviner les objets derrière moi.

Je m'assis par terre, la tête dans les coudes. J'étais condamnée. J'irais me jeter d'un pont, dans la Loire où l'eau est la plus dangereuse. Je me laisserais tomber du haut d'un barrage. Je ne pourrais plus vivre car je réalisais que la vie physique, c'est un autre qui vous la donne. Longtemps après l'enfance, longtemps après votre mère, il faut que quelqu'un s'obstine à répéter : « Ça, ce sont tes yeux ; ça, c'est ton dos, tes mains, tes cils, tes dents, ta peau, des pépites dans ton iris, ton dos moucheté, ton bras est un javelot... » Sinon, on ne sait pas.

Où étaient-ils, les bains délicieux de jadis ? Je me doutais que, désormais, si mon corps émergeait de la mousse, je le ferais repartir sous l'eau. J'aurais une poigne surprenante pour quelqu'un de mon gabarit. Je maintiendrais enfoui mon corps jusqu'à le noyer, l'ankyloser d'accablement. Qu'on n'en parle plus. Je n'apprécierais pas qu'il revienne flottiller comme si de rien n'était. Le salaud qui s'était verrouillé sous les marronniers.

L'après-midi, mon téléphone sonna. Un numéro inconnu auquel je ne répondis pas. Après, j'écoutai le message. Une voix masculine, au début je n'entendis rien de ce qu'elle disait, elle m'arrivait bien trop atténuée, mon anxiété la bourrait de coton, les fermetures vraiment éclair dont j'avais le secret. Les mots : « ... de manière imprévisible... hier... » Et, plus distinctement : « Je me demandais si cela te ferait plaisir de m'accompagner ce soir au musée du Jeu de paume ? » Dans la soirée, un dernier et perspicace : « As-tu pu te libérer ? »

J'avais fait un tas de mes livres, et je les avais descendus dans le local à poubelles. Leur contenu ne servait à rien. Ils ne faisaient que raconter des histoires. Ces œuvres que j'avais lues, Elsa Morante, Gabriel García Márquez, Camus, Jim Harrison, Virginia Woolf, Aragon et Éluard dont j'avais bu les paroles, « tu es le grand soleil qui me monte à la tête quand je suis sûr de moi », c'étaient pour les crédules. Je m'étais égarée dans le rêve des choses. Le refuge, après l'avoir tant cherché, je l'avais trouvé : une geôle. Mon intégrité était une armure. Ou, plus atroce : j'étais l'armure à l'intérieur, ma chair trompeuse autour.

J'avais fait autant de trajets qu'il y avait de richesses dans ma maison. J'avais beau être jeune, mon dos était celui d'une vieille femme. J'allais courbée toute lamentable dans la cage d'escalier. Les livres, je les tenais dans mes bras, le menton dessus, et c'est affreux je les aimais encore en les sacrifiant. Ça me rendait si triste de détruire mes richesses. Je gémissais. Il y a une complaisance à se plaindre. Mais merde, on peut me laisser ça.

Les piles des livres alignées sur le carrelage autour des poubelles. La pièce nauséabonde contenait mes attentes impossibles. En refermant la porte du local, j'avais eu l'impression de quitter un foyer où flamboierait encore une veilleuse. Je faillis retourner l'éteindre avec le pied. C'était exaspérant cette survie de l'art. Et si j'y restais ? Et si ma place à moi était là aussi, dans les déchets ? Dans mon appartement, je m'étais laissé tomber sur mon canapé, sinon soulagée, du moins plus franche. Je ne me mentais plus avec de la littérature.

Je m'endormais quand on avait sonné à ma porte. C'était la voisine, des livres dans ses bras. Comme dans un cauchemar, je crus qu'elle me les rapportait. Non, elle voulait me remercier : « En plus, c'est encore mieux qu'à la librairie, parce que là c'est réellement ce que vous avez aimé. » Elle était repartie vers l'escalier, serrant la fortune dont je n'avais pas su faire usage.

Elle avait apporté une brioche, elle la dévorait. À 18 ans, Tosca était venue des Baléares étudier le chinois à Paris, j'avais promis à ses parents de m'occuper d'elle. Je l'avais connue enfant.

Elle avait sonné par hasard au petit matin, sans se douter que, moi, de mon côté, je venais de tellement trébucher. Il fallait qu'elle me parle. Elle était écumante, son beau cou tendu, indigné. Quoi qu'elle ait fait la nuit précédente, ça avait dû être une violence pour elle. Elle était venue m'annoncer qu'elle avait choisi un comportement, et que ce serait le mien. Les attentions qu'elle avait offertes aux hommes en cadeau, la délicatesse glissée dans ses mains, est-ce que c'était gentiment accueilli ? Non. Les garçons avaient fait passer le oui de Tosca pour un préliminaire éculé. Jamais contents. Jamais contentés. Ils avaient suggéré des variantes ahurissantes à leurs ébats en prétextant que le reste n'avait pas compté. Le reste, le don que Tosca avait fait de sa personne. La jeunesse précieuse de Tosca. Elle avait 19 ans.

La splendeur était un dû pour ces abrutis : « Tu n'imagines pas ce que j'ai entendu. » Elle ne voulait plus se rendre disponible.

Ça me désolait. En plus de sa beauté exceptionnelle, Tosca était intelligente. Elle ne se contentait pas d'une chose qu'elle savait. Les hommes ne voyaient pas ça ? Si je lui parlais d'un livre, elle courait l'acheter. Deux jours plus tard elle m'en parlait, hypnotisée. Au bout d'un an à s'imprégner d'idéogrammes, paumée devant la complexité asiatique, elle avait eu le courage de partir trois mois à Hong Kong, seule. Elle m'envoyait des mails, ils carillonnaient dans la nuit, je leur avais accolé un son spécial. Et une fois : « Aujourd'hui, Sophie, un homme dans la rue a compris ce que j'ai dit ! » Eh bien cette jeune fille, assez douée pour communiquer avec un Chinois, assez intrépide pour avoir visité le bout de la terre, elle butait contre des mufles à Paris. Elle aurait tout accepté d'un initiateur.

« Je veux vivre comme toi, pour l'art », elle décrétait. Elle était fière de s'être déclenchée. Les ailes grésillaient dans son dos. Je me taisais. Soudain intriguée, elle avait tourné la tête en tous sens dans mon salon : « Et tes livres ? »

Aucun temps d'été ne dure à Paris, sauf cette année-là de canicule. Qu'est-ce que je faisais à Montmartre par une telle chaleur ? Deux heures de l'après-midi. Il n'y avait que des touristes autour de moi, bien obligés, eux, d'être dehors à rentabiliser leur séjour. Un groupe de Québécois. La bienfaisante positivité de leur accent. En me mettant près d'eux, je buvais leur bonne humeur. Ils montaient vers le Sacré-Cœur, alors moi aussi.

Une fois arrivés en haut, ils s'étaient engouffrés dans la basilique, je les avais suivis. Le Sacré-Cœur a beau ne pas être un monument émouvant, le frais, à l'intérieur, étanchait une soif. On passait de l'été à l'éternité. Tout le monde s'aspergeait d'eau bénite. Quelqu'un venait en remettre en permanence. Le Christ doré nous tendait les bras. Ça ne m'étonnait pas que son torse offert, son geste d'accueil illimité, ne soit pas assez vaste pour recevoir les incertitudes qui en ce temps-là me rongeaient. D'ailleurs je me promenais, je scrutais les berceaux, les pilastres, les contreforts et les bancs, sans que rien réussisse à me toucher. Le long d'une travée, c'était écrit qu'ici, on confessait toute la journée. Le confessionnal et un prêtre dans l'ombre. J'avais lu une fois dans un journal que, durant des années, beaucoup de criminels, ceux plus bas du boulevard de Rochechouart, quand ils avaient tué quelqu'un c'est dans cette basilique qu'ils venaient se délivrer, ils s'abandonnaient quelques minutes avant de repartir vers l'atrocité.

Le prêtre, sur son tabouret, j'étais certaine qu'il voyait la cliente en moi. Les bouts ronds de ses chaussures m'évoquaient la puérilité de Disneyland. Je lui supposais des gants blancs de Mickey dans la pénombre : ce n'étaient que ses doigts potelés. Et pourtant l'idée me vint de m'en remettre à cet homme de Dieu. De lui confier comment la peur me paralysait. J'aurais pu lui parler des péchés que je ne savais plus commettre. Je me souvenais des précisions exigées, autrefois, par l'abbé Mario, à l'église Notre-Dame de Passy, dans le 16ᵉ arrondissement à Paris. Les péchés pas commis, déjà à l'époque j'en inventais les détails pour le contenter. Mes manquements d'aujourd'hui, étaient-ils formulables ? Est-ce que je pourrais dire : « Mon père ça me fait peine d'être une effarouchée plus absolue que vos ouailles » ? Qu'en penserait-il, ce directeur de conscience, de mon incurable pureté ?

Que pouvait un Dieu qui avait peut-être le même problème que moi ?

Je l'avais trouvé par terre sur le trottoir. En box marine, assez long pour contenir un carnet de chèques, fermoir doré, Hermès. Modèle Béarn. Deux mois auparavant j'avais dû renoncer à m'en offrir un. Or voici que, vide à en paraître neuf, il palpitait dans mes mains, un dédommagement à mon sort. Le lot de consolation du perdant. Bien sûr, autour de moi aucun commerce, aucun endroit où laisser un numéro de téléphone, aucun rebord en évidence où poser le portefeuille. Si je le prenais, il était à moi.

Au commissariat, je tendis à contrecœur le portefeuille à une femme officier de police. Geste accompli de si mauvaise grâce, on aurait pu penser que cet objet de valeur je l'avais chapardé moi-même et que, prise de regrets, je venais le rendre. La femme me fit asseoir. On ne pouvait pas dire si la policière examinait l'objet par curiosité ou par conscience professionnelle. Elle le posa entre nous deux, un bien commun. Avec la paranoïa que j'admirais chez l'inspecteur Columbo, elle conclut à l'illettrisme du voleur : s'il avait su lire, il aurait lu « Hermès Paris ». Un inculte aurait su ce que ça signifiait. J'abondai dans son sens. Elle prit une courte déposition : je témoignais avoir trouvé ce portefeuille, en box, marine, fermoir doré en forme de H, marqué « Hermès Paris » à l'intérieur, à l'angle de la rue Royale et de la rue Saint-Honoré. J'attestais qu'il était vide. On revérifia ensemble pour en être sûres. Elle m'informa que le portefeuille serait consigné au Service des objets trouvés de la Ville de Paris. Je plaisantai que c'était un trésor. Elle me répondit que non, un trésor était une chose découverte par hasard, mais qui devait avoir été cachée ou enfouie. « Dans votre cas, ce n'est pas caché ni enfoui », elle insista, un peu plus suspicieuse. « Non, moi rien n'est enfoui... », je mentis.

Le pauvre garçon, gisant sur le trottoir, pont Alexandre-III. Un homme en chemisette demandait aux badauds de ne pas approcher. Il ne prétendait pas qu'il fallait laisser respirer le blessé. Il se bornait, du plat de la main, à nous tenir à distance. On piétinait où il disait. Dès que l'homme baissait le bras, l'indiscrétion était la plus forte et on se rapprochait. Ce n'était pas notre faute, c'était de voir un mort. Chacun d'entre nous avait compris qu'il n'y avait plus d'espoir dans ce corps. Nous avions l'impression que le ventre du jeune garçon se soulevait lentement, c'était seulement nous qui bougions en vivant. Lui, il avait l'immobilité d'une pierre. Une veste lui couvrait les pieds. Si c'était celle de l'homme en chemisette, ça lui donnait un ascendant de plus pour nous faire reculer.

Les gens penchaient leur tête pour interroger le visage inerte, que les cheveux longs du garçon, blonds et étalés comme ces affreux miroirs soleil, protégeaient. On ne voyait que le bas, la mâchoire.

Et le menton livide, la bouche neuve du jeune homme donnaient envie de se repentir. On était une vingtaine sur le pont à guetter les secours, ils allaient venir aussi pour nous, ils nous chasseraient. En attendant, l'homme en bras de chemise, debout à côté du corps à nous défier. Les nouveaux venus voulaient savoir ce qui s'était passé. Quand quelqu'un demandait si c'était grave, l'homme le regardait non pas dans les yeux, mais au niveau de son front, de son crâne, il s'adressait aux facultés de discernement de la personne. Tous se heurtaient à l'homme en bras de chemise, ils apercevaient la main trop blanche du garçon, ils perdaient leur candeur. Ils nous démoralisaient.

Les secours arrivèrent, et une civière. Ils se penchèrent, ils se relevèrent. Ils échangèrent quelques paroles avec l'homme en bras de chemise. L'homme n'était pas médecin, il était cuisinier chez Francis, place de l'Alma. Une heure auparavant il passait sur le pont, il avait vu le jeune homme se faire renverser par une voiture, s'élancer dans l'air, retomber et glisser à la façon d'un projectile sur dix mètres jusqu'à la rambarde, s'y cogner la tête et plus rien. Aux pompiers, que ce récit rendait perplexes, il montrait du doigt l'endroit sur la voie où s'était produit le choc, ainsi que la trajectoire du corps. Pour que ce soit plus clair, il alla retirer sa veste posée sur les pieds du jeune homme. Il était en rollers.

VII

Un Carlos énigmatique, aux yeux égarés, boulevard Saint-Germain. Son imperméable sur le dos, malgré la température extérieure affichée à la devanture de la pharmacie : 29 degrés. Il était stupéfait que je ne sois pas au courant : il ne vivait plus chez lui. Il avait déjà eu au téléphone Henrietta, Pierre, le groupe d'Hydra, ceux de Bâle et même les échangistes. Donc, il m'avertissait : « Si c'est pour t'y mettre toi aussi, tais-toi. » Il campait dans le pied-à-terre d'un cousin, rue de Beaune, « comme les hospices ». « J'arrive à rien avaler » il m'expliqua, comme si cette information justifiait son esprit de dérision. Avenue Raymond-Poincaré, Vionne et les enfants le maudissaient. C'est lui qui avait décidé de partir. Ce n'aurait pas été détaler sans appel, juste se ressourcer quelques jours. Il avait ébauché cette proposition devant Vionne un matin dans leur salon, au grand soleil, les bras ouverts, sur un ton de bateleur, un projet positif, une polissonnerie. Oui, pourquoi pas : un jeu amoureux. Vionne avait failli se laisser tenter.

Si ce n'est que dans la journée elle avait trouvé la valise de Carlos camouflée dans l'armoire, les affaires préférées de Carlos déjà dedans. En rentrant du travail, Carlos n'avait pu nier la préméditation. Furieux d'être mis en cause pour dix chemises pliées dans un baise-en-ville, il avait fichu le camp. Son plus jeune fils lui avait envoyé un long mail, ces mots : « La raison que tu as donnée à maman est répugnante. » Et moi : « La raison ? » Et lui : « Ah oui, la raison… » Il était las comme un qui doit sans cesse se répéter. « Je n'ai plus envie d'elle, tu comprends ? » Même à moi, l'argument parut misérable. L'énormité de mon préjugé. « Tu lui as dit quoi, à Vionne ? » Il haussa les épaules : « Vous êtes marrants ! Je lui ai dit la vérité. Comment j'aurais pu lui mentir ? L'amour on s'en sort toujours parce que ça ne se voit pas, mais bander, pas bander, tu peux pas t'en sortir, autant être transparent. »

Ce serait faux de croire que Carlos avait le démon de quoi que ce soit. Il aurait préféré, lui, continuer avec une Vionne désérotisée, dans la tendresse. Hélas, le dessein d'être au moins affectueux envers Vionne n'avait pu aboutir. Ça faisait des mois que Vionne prenait chaque attention de Carlos pour l'indice d'une reprise, et ensuite assaillait Carlos dans le lit, le soir, concupiscente. Il avait songé à aller avec d'autres femmes, histoire de voir si ça pourrait le redéclencher, un soutien scolaire. Encore hélas, il était une chiffe molle avec les filles : pour désinvestir Vionne petit à petit sans qu'elle s'en rende trop compte, il avait dû laisser ses couilles en caution chez sa femme, il n'en avait plus à lui. La crudité de Carlos, j'avais eu tort de la mépriser, elle rafraîchissait la rue. Il ne voyait pas que je l'admirais. « Tu crois que je suis un goujat de fugitif ? » Ça l'étranglait de parler. Je découvrais que les hommes ont peu de personnes à qui ouvrir leur cœur. Qu'ils sont plus pauvres que nous. Leurs états d'âme, lorsqu'ils se les bouffent, leur font un bâillon.

La journée, à la plage, je somnolais sous des canisses. Le soir, j'allais m'asseoir sur une table rustique, au milieu d'une tente blanche. Les bruits irréels du dehors, la vie continuait pendant que j'étais nue. Pajane, avant de me masser, laissait goutter une huile tiède sur le sommet de mon crâne, et cette huile, à force, me dégoulinait sur la nuque, les épaules. Pajane, de sa main libre (l'autre tenait la burette) aidait l'huile à aller jusqu'au bois de la table. Ce toucher me prouvait qu'il y a une forme à nos corps. Au lieu de dessiner une musique dans l'air, le contact m'apprenait mes limites, mes contours. Une femme moulée dans du jersey de soie, elle comprend ce qu'elle contient. Elle se vérifie, songeuse. Là, c'était la main le vêtement miraculeux. Ma tête graisseuse tombait sur la kurta blanche et impeccable de Pajane. Si j'hésitais à le salir, c'est lui qui amenait ma nuque contre lui. Il tirait comme un trait sur ma colonne vertébrale. Recroquevillé, un petit faune forgé pour la délectation avait attendu en moi, il s'était caché sous une commode durant mes grandes invasions. Là, il revivait.

Pour indiquer que je devais me coucher, il posait deux doigts au bout de la planche, vers un oreiller invisible. Les deux doigts sur mon dos ou mon ventre, si je devais me retourner. Il m'enduisait de telles quantités d'huile que, après, pendant qu'il me massait, les parties les plus saillantes de mon corps patinaient sur la table. En glissant, mes pieds cognaient contre son bassin. Je n'osais pas ouvrir les yeux sauf les fois où j'étais sur le ventre, le visage dans un endroit percé de la planche, creusé exprès pour permettre le bon alignement de la nuque. Je voyais alors les pieds parfaits de Pajane, les ongles roses, le pantalon blanc roulé sur ses chevilles exquises. Je pensais que j'aurais toujours dû privilégier les beaux hommes. Je n'admirais pas longtemps ces merveilles, car Pajane m'attrapait la peau – j'étais un lévrier conquis plutôt qu'une dalmatienne –, je repartais sous mes paupières.

Ou alors, il se mettait debout face à moi, moi assise sur la table, il me serrait contre sa kurta. Mes jambes pendaient de part et d'autre de ses hanches. Lui, ses deux mains sur mes omoplates, une sur chaque, et il écartait doucement. Je sentais s'ouvrir mon dos et s'en échapper des corneilles. Et il me relâchait. Une telle stupeur, j'essayais de capter son visage, je ne rencontrais qu'une barrière de cils par où filtrait une lumière.

L'envie

Ma seule pensée le matin était d'arriver assez tôt à la tente des masseurs pour réserver Pajane. Je m'assouplissais. Dans l'eau, mon nouveau cou télescopique s'allongeait à la moindre brasse. Un seul mouvement me propulsait à cinq mètres de là.

Durant ce séjour à Goa, je ne l'entendis pas prononcer une seule parole, même dans sa langue avec d'autres masseurs. Le dernier soir, je l'informai en anglais, au cas où, que je partais le lendemain. Il était de dos, il se retourna. Sa kurta noyée d'huile. Un homme gracile aux yeux noirs, il avait les dents du bonheur. Et il avait parlé. Un sage, en deux mots, vous instruit pour le restant de vos jours, il avait dit : « *Necessity body*. »

À Bombay, avion du retour. Ma place près du hublot. Les manutentionnaires indiens sur le tarmac, nos bagages apportés dégringolaient du chariot, ils se les passaient de bras en bras. Le lien entre les gens. Dans l'avion, c'était pareil, la famille humaine. Un homme en bleu ciel. Il était entré dans l'avion en poussant deux enfants devant lui. Une main sur la chevelure de chacun. Ce geste m'hypnotisait. Il leur tapotait la tête, eux si jeunes, lui si grand, un basketteur amoureux de ses ballons. Qui m'avait adorée ainsi depuis mes parents ? La place de l'homme était à côté de moi, ses enfants la rangée devant nous. Quelqu'un avait proposé d'échanger avec lui, afin qu'ils soient regroupés, aussi parce que les enfants s'annonçaient d'emblée si turbulents. L'homme avait décliné l'offre, il avait désigné ses deux galopins en nous disant : « C'est la première fois de ma vie que je vois ces deux personnes. » Les petits visages avaient explosé de joie devant la malice paternelle.

À genoux sur leur siège, tournés vers nous, les gosses guettaient les railleries du père avant le décollage. « Il faut qu'on se dise au revoir parce qu'on va tous mourir », augurait le père, sur un ton sombre de confidence. Flagrant qu'ils étaient drogués à cet humour. Ils me parlèrent tout de suite. Ils revenaient de Cortalim, sud de Goa, ils vivaient à Paris, ils avaient vu des dauphins. Le père se taisait, il laissait d'efficaces bras armés demander mon nom, et si j'étais seule et pourquoi je l'étais, et si je connaissais Cortalim, et quel était mon âge. Il faudrait voyager en compagnie de ces espiègles. Plus rapidement qu'on ne l'aurait pensé, ils se remirent dans leur siège et se firent d'une discrétion totale, absorbés par les films à choisir.

Dès le silence, l'homme m'avait examinée. « Je ne sais pas où j'irais seul », il avait dit. Il ne précisait pas si c'était en voyage ou dans l'existence. Il me scrutait, une idée de destination. Il était impossible de savoir s'il jouait ou s'il osait par la fantaisie, comme ça arrive, la franchise. Le bleu ciel, c'était un costume de seersucker. Il sentait la menthe.

L'écran de contrôle indiquait qu'on survolait l'Afghanistan. Sans prévenir, ce père de deux enfants, porteur d'une alliance, posa presque sur moi son buste pour regarder par le hublot. Or, d'abord nuit noire et ensuite le volet du hublot était rabattu. Il n'y avait pas à voir. Il ne pouvait ausculter que le plastique grège au lieu des montagnes afghanes. Incompréhensible, cet homme couché sur moi face à rien. Il était si près, sa cuisse si près, je percevais un pouls à cet endroit, son torse respirait contre mon ventre, de profil comme les héros de Canova, la diablerie se lisait sur les fines rides de ses tempes. Il se remit dans le fond de son siège, m'annonça, un aplomb extraordinaire : « C'est nuageux. » Moi aussi je me penchai vers le volet fermé, où il n'y avait que des rêves. Et j'assurai : « Ça va se lever. » Nos deux dérisions front contre front durant le voyage.

À Paris, au tapis roulant où on récupérait les bagages, il m'avait serré la main : « C'est dommage », il avait marmonné. Les enfants jouaient dans ses jambes, les gros maillons d'une chaîne.

Ce corps entrouvert par les massages, en vertu de quelle élucubration je l'emmenai au yoga à mon retour à Paris ? Le cours se donnait sous une verrière, il suffisait de s'inscrire et de payer, on avait un casier au vestiaire, on prenait un tapis sur une étagère, ces gestes on pouvait les accomplir sans parler à personne. Une complicité timide envers les autres tenait lieu de relation. En outre, certains ne se donnaient pas cette peine. Ils déroulaient leur tapis avec des yeux d'aveugles, des autistes. La solitude de l'exercice dès les préparatifs.

Le professeur se matérialisa devant nous. Il était livide, aussi dépourvu d'aura qu'un distributeur de tracts. L'aplomb parfait de ses épaules ne donnait aucun exemple. Son maintien évoquait l'effort plutôt qu'une harmonie. Les pieds, blafards, propres, mais orange de corne. Un bandeau rose et mauve et marron dans les cheveux. D'autres couleurs de son pantalon juraient encore avec celles-là.

Les mouvements à effectuer, eux, étaient admirables. Le simple fait d'être debout et de baisser le menton en expirant vous lavait de la laideur. À la limite, le professeur de yoga n'existait pas, la corne de ses pieds n'était plus dérangeante. Quand c'est à vous qu'il s'adressait, en corrigeant un de vos défauts, vous l'entendiez de loin, de si loin, votre respiration vous laissait au-dedans de vous-même. En lâchant prise, le menton entraînait le cou vers l'avant et vous sentiez que votre nuque prenait racine presque au creux de vos reins, ou dans un endroit plus bas. Cette nuque était l'encolure d'un pur-sang. Comme à Goa. Chaque partie du corps, tour à tour, était ainsi étirée, au bout de vingt minutes vous n'étiez plus l'ancienne personne. Pour autant, ces prouesses n'impliquaient aucun cabotinage. Là encore, pas de rapport aux autres. On ne faisait pas le tour de son tapis en inspirant très fort et en se frappant les côtes. Si l'un de nous touchait sa tête avec son pied, il gardait pour lui son contentement. Tout se passait de soi à soi. Il arrivait qu'au cours d'un exercice plus difficile, ou moins adapté à votre constitution, vous soyez obligé de capituler. Eh bien, les bras le long des jambes, inertes, vous n'en deveniez par pour autant le spectateur des autres. Ils continuaient de vous indifférer.

Non, cette discipline n'était pas la mienne : moi j'avais fait le tour des plaisirs solitaires.

Pendant ce temps, Carlos avait été excommunié. Vionne avait fouillé dans l'ordinateur familial. Elle ne cherchait que des mails suggestifs, travaillée par l'intuition qu'il puisse exister une autre femme aux abords de Carlos, et que le studio, la valise, ne soient que l'ébauche de projets plus gigantesques. L'amour ailleurs. Vionne n'était pas spécialiste en informatique. Elle avait vu l'onglet « historique » dans la barre des menus, elle avait cliqué dessus, la chance du débutant. Elle était tombée sur l'intitulé des sites pornographiques visités depuis un mois par cet ordinateur. Bien sûr, sincèrement, ce pouvait être des choses visionnées par son fils ou sa fille. Dans son malheur, elle alla leur poser la question. C'est donc en famille, pour ainsi dire, qu'ils avaient ensemble retracé le pitoyable chemin de Carlos. Ils avaient revisionné chaque vidéo, et ils avaient recompté toutes les fois – trente fois – où Carlos avait cliqué sur « une salope suce son prof pour obtenir la moyenne ». Vidéo si appréciée qu'elle était dans la barre des

« favoris ». Le fait que Carlos soit professeur d'anglais ajoutait à la véracité des images. Le fait qu'il n'ait rien cherché à dissimuler, à sa cruauté de psychopathe.

J'étais une des rares à lui parler. Il n'avait plus que les hommes dans son camp, et encore, en cachette. Pierre le voyait dans un bar de Suresnes. Je l'écoutais se désoler. Il se jugeait ignoble. Il en aurait dégobillé de regret. En contrepartie, je lui mettais sous les yeux l'ignominie de la sainte alliance incluant ses enfants : « C'est plus grave que tes méfaits. » Je lui assurais qu'il y a un sanctuaire des gens, un endroit de désirs flous où on a tous le droit de se retrancher sans nuire à personne. Il avait un air de demander si j'avais bu. Il secouait la tête, quelqu'un pour qui c'est trop tard, qui a reconnu ses crimes.

Je tombai sur Vionne au Monoprix. Elle me fonçait dessus, son chariot devant elle, ça me traversa l'esprit qu'elle voulait me le lancer dans les côtes. Non, elle fit freiner sa fureur à un mètre de moi : « Tu es au courant, pour Carlos ? » Au milieu des soutiens-gorge, elle m'éclaira sur le genre d'individu qu'était son mari. « Bien sûr qu'il n'a pas envie de moi. Faire des saloperies, voilà de quoi il a envie. » Elle demandait : « Les enfants sont sous le choc. Qui aurait envie d'une vraie femme après s'être rempli de ces horreurs ? Un type, un ventre abject, soi-disant professeur d'université, il reçoit une étudiante en particulier, et ce sont des pipes à n'en plus finir, des pipes la fille à genoux, des pipes la fille debout, des pipes sur ce ventre répugnant, et Carlos c'est avec des pipes, les pipes d'une gamine de 20 ans, de l'âge de sa fille, qu'il se gargarisait ! » Elle prononçait « pipes » d'une voix stridente, on aurait cru un son distrayant apposé par-dessus une grossièreté, pour la masquer. « Si par hasard il prend contact avec toi, elle ajouta, toi tu pourrais lui expliquer que l'amour vole plus haut. Ça tombe bien qu'on se soit rencontrées : je voulais t'appeler pour que tu ailles lui parler, avec ton exigence. »

N'importe quel site prévenait que c'était du jamais-vu. Et ensuite, invariablement, offrait la même crudité. Dès la page d'accueil, le plaisir pouvait se prendre, rien qu'à l'idée. Tout était là, offert. Bien sûr, ils demandaient vos coordonnées. Mais au fond, si on y réfléchit, il faut vraiment l'ingénuité d'un ignorant pour penser que, si on fournit une adresse mail, on aura accès à des merveilles plus sophistiquées, pour imaginer qu'on s'enfoncera vraiment dedans. Et tant de gens le font. Des crédules. Sauf que ce recours à notre naïveté m'apparut comme le signe génial de cette industrie. Et je comprenais ceci : si l'on a le réflexe d'aller plus avant, ce n'est pas pour sortir de soi, c'est pour plonger en soi. Un yoga. La même solitude.

Un homme m'avait dit un jour que le sexe et l'humour étaient incompatibles. Alors comment expliquer la rigolade devant ces images et ce que ces accouplements réveillaient en moi ? Une ânerie libératoire s'insinuait dans la neurasthénie de la pornographie.

Y compris la médiocrité des propositions, qui devenait attrayante. Il fallait que ce soit si bête. Le manque d'intelligence n'aurait été qu'un détail, s'il n'avait été remplacé par un vide supplémentaire. Chaque regard des acteurs, non content de ne contenir aucun discernement, impliquait une idiotie supérieure qui venait « en plus », un bonus. On a tous l'espoir de perdre la tête. Eh bien, cette promesse tenue flottait sur les visages des acteurs. L'idiotie garantie me sembla la malice principale de cet art, plus fort encore que les gros plans sur les zones décisives.

J'étais devant mon écran fusillée de désir. Une intensité menée si rapidement à bien qu'elle avait été invisible, mes mains n'avaient pas lâché le clavier de l'ordinateur, aucun mouvement de mes hanches. C'est-à-dire que la chose qui se passe dans la tête, m'y était montée, et puis était redescendue à fond de train vers l'endroit concerné, je n'avais pas eu le temps d'y penser.

Restaurant Minh Chau, une cantine dans le Marais. Si microscopique que les propriétaires, de la cuisine à la salle, se passaient les assiettes en tendant les bras au-dessus de nos têtes. Nous étions trois clientes éparpillées, si un tel mot convient dans un lieu pareil, les trois à manger le plat unique, du poulet au gingembre. C'était la fin du service. Debout derrière un semblant de comptoir, les deux patronnes vietnamiennes, la mère et la fille, s'en payaient en commentant la rue. Un homme assez séduisant était entré, il avait vu nos têtes intéressées, l'espièglerie des patronnes, il était ressorti avant même qu'elles puissent lui dire que la cuisine était fermée. Ça nous avait amusées.

Les femmes ont le don de se lier entre elles. On s'était mises à se parler à travers les tables. Bien sûr, c'était pour décrire le poltron qu'on avait déboussolé. « On n'allait pas le manger », avait dit la jolie fille à ma droite. Et hilarité, parce que, tant s'en faut, c'est probablement ce qu'on aurait fait. À toutes les sauces. La conversation partit sur le fait que les hommes redoutent notre lubricité. L'une des clientes venait de Corée. Dans son pays, elle était sans doute quelqu'un de pudique. Ici, restaurant Minh Chau, elle voulait attester qu'avec les hommes le climat de débauche n'était pas à la hauteur. Ce qu'ils demandaient ou bien ce qu'ils faisaient, rien n'allait dans le sens des fantaisies qu'elle avait à l'esprit. Ils prétendaient que ses paupières opaques suscitaient des délires, mais au summum de leurs élans, ils se montraient plus basiques que des manettes. L'autre, la jolie fille, son petit ami l'avait suppliée d'énoncer ses désirs. Or elle savait, elle savait parfaitement que ce serait néfaste. Qu'elle allait le traumatiser. Il insista tant, et des jours et des nuits, au bout du compte elle lui avait donné deux ou trois exemples de ce qu'elle pourrait envisager. Les moins excessifs. Notamment, elle voulait l'appeler Franco, lui, le fils et le petit-fils d'un communiste espagnol. Il s'était figé funestement sur le lit. Apprendre que sa banque était insolvable n'aurait pas davantage anéanti cet homme. Plus grave : il s'était mis en tête que les idées qu'elle s'était forgées, elle les avait à coup sûr apprises au contact d'autres hommes, car sinon il ne voyait pas comment elle aurait pu se les approprier.

Elles se tournèrent vers moi. Et moi, mon expérience ? Les deux Vietnamiennes buvaient leur thé au jasmin dans des verres en Inox, elles nous écoutaient. Je révélai que dans mon cas, c'était spécial, des années que je ne faisais plus l'amour. Elles demandèrent si ça me manquait, je répondis que ces temps-ci je réentendais des ondes insinuantes. Que peut-être j'attendais les bras d'un complice. Que peut-être j'étais tapie, une crapule immobile. Les Vietnamiennes et les deux clientes étaient convenues en gloussant que de tous les fantasmes, j'avais le plus inouï.

VIII

À 64 ans, après des années dans le renoncement, région plus lointaine que la solitude, Axel avait eu un coup de foudre.

Bois de Boulogne, il me présentait des arbres inédits, un séquoia et un hêtre pourpre, comme si son bonheur ravivé les avait fait pousser. Sa main assurée s'appuyait sur mon bras, plus ferme du fait de sa résurrection. Il avait rencontré cette femme à Deauville, fin de l'hiver, sous une pluie fine. Qu'elle ait pu se trouver dans l'ennui de la plage, dans le Deauville abhorré par Axel (il n'y allait que pour profiter de son petit-fils), c'était un miracle. Elle promenait son chien, si on peut faire pire. Elle était passée devant lui sans le remarquer, alors que lui il avait avalé le profil méditerranéen de la femme, les détails *Riz amer*, les cheveux longs, la raie sur le côté. Pour braver la platitude de ses 64 ans, il avait dit : « Eh bien, même pas bonjour ? » Elle s'était retournée. Elle avait sûrement vu qu'il osait l'impossible. Or, autre miracle : elle lui avait fait bon accueil. Elle lui avait demandé où était le sien, de chien, sous-entendu que personne, ici, sans alibi, n'aurait eu la bêtise de sortir sous la pluie. Il avait proposé une vodka pamplemousse. Le chien les précéda en gambadant.

Voici que cette femme, de retour à Paris, avait désiré Axel. Aussi invraisemblable que cela paraisse à un pessimiste qui se trouvait des dents infréquentables et vous dénombrait ses délabrements après un verre ou deux, une femme voulait de lui. Il avait objecté qu'un homme nu de son âge, ce n'était pas beau. Sans se démonter, elle avait répondu : « Ce n'est pas fait pour être beau, c'est fait pour être fascinant. » Il avait foncé chez le médecin, pour le Viagra. Le médecin lui en avait prescrit en poussant des cris de joie, il avait raccompagné Axel à la porte sans cesser de lui donner des tapes dans le dos. Le Viagra avait été inopérant. L'angoisse d'Axel était plus puissante que la chimie. Il avait été tenté d'abandonner, pas longtemps. D'abord, la femme, au lieu de mansuétude devant ses attributs en berne, avait dit : « Ça va pas être possible. Tu ne peux pas rester comme ça. Ce serait une catastrophe pour tout le monde. » C'était la première fois qu'en l'engueulant, on l'encourageait. Il avait fait le point sur le temps qu'il lui restait avant la vraie vieillesse. Il repensait à une phrase de Coluche : « Parfois, c'est à se demander s'il y a une vie avant la mort. » Il avait foncé chez le sexologue. L'homme était petit, rond, facétieux, et lui aussi parlait du pénis d'Axel avec un irrespect bénéfique. Dans des cas semblables, ce médecin avait pu aider en mettant le patient sous Viagra tous les jours, à des heures différentes, le temps, jamais long, que le désir comprenne sa puissance. Il allait essayer avec Axel. Et ça avait marché. Axel, à un an de la retraite, s'était subitement pris de sauvagerie au passage de son assistante, laquelle n'était pas la femme de la plage et n'avait rien d'attractif, à part qu'elle était dans les parages. À dix heures du matin, il avait dû se tenir à deux mains à la fontaine à eau pour ne pas envoyer valdinguer le parapheur que l'assistante tenait contre ses seins. En trois jours, il avait remplacé l'inquiétude de ne pas bander contre l'alarme de ne pas contrôler quand ça allait se produire. Ce désir désordonné faisait battre son cœur. Allait-il avoir une attaque ? Non, c'est l'envie, l'envie qui l'attaquait. Une fin d'après-midi, il avait appelé la femme de la plage : « J'arrive », il avait dit. Le lendemain matin, il n'avait plus besoin d'aide.

« Et moi, où est ma pilule miracle ? » Je le demandais à Henrietta, en lui racontant les joies d'Axel. Elle
vendait l'appartement de son enfance, 16ᵉ arrondissement à Paris, on attendait ensemble le monsieur
de l'agence. Durant l'hiver, sa mère avait été empor-
tée par une rupture d'anévrisme. On était dans la
chambre – si exiguë, en réalité – où jadis j'avais
révisé le latin gigantesque, où je m'étais pavanée.
L'amie plus que fidèle, celle qui avait lu *Vol de nuit*
pour mieux me comprendre, alors qu'elle avait à la
fois la phobie des avions et de l'orage. Celle qui avait
dit un jour « Tais-toi, tu ne sais rien » à un de nos
camarades qui se permettait d'avancer que je n'étais
pas une vraie femme. Mon amie qui avait été pour
moi l'amour. J'avais été presque une paria, elle s'était
arrangée pour me valoriser, elle avait donné
l'impression que ma différence était une oasis. Ce
que c'est que de ne pas être jugée. Ses sentences ne
tombaient que sur les autres : « Ce n'est pas la nature
qui a horreur du vide, c'est la société, c'est eux. Et

la société, on s'en fout. » Ou bien : « Enfin, tu devrais le savoir, qu'ici on ne laisse personne, sans encadrement, vivre l'Éden. Tu sais bien comme ils sont ! » Ou bien : « Ces autres que tu étonnes. Tu pourrais t'étonner, toi, de l'aspect revanchard de leurs échanges, ils s'engueulent à table chez des gens, et c'est ça qu'ils appellent l'amour ! » Ou bien : « Tu ne vis rien de visible, alors ils pensent t'en remontrer. Ah, la prétention des actifs m'a toujours atterrée… » Elle avait légitimé chacune de mes défenses.

« La pilule, c'est ce que tu contiens », elle me répondit. Elle risqua : « C'est ce que tu contiens dans les yeux. » Elle gigotait, indécise. Et si elle avait proféré une énormité ? Elle se demandait si elle ouvrait ou fermait quelque chose. Mes peurs si terrorisantes que la plume d'un duvet me ferait exploser. La manière radicale dont je savais me défendre. Elle avait cela à l'esprit, Henrietta, sa perspicacité ne pouvait faire l'impasse sur mes endroits calcifiés, sur mes limites. C'était son métier d'extirper, dans la glaise du passé, les trésors qui permettent l'Histoire. Son quotidien, avancer une lampe au front dans les galeries où les morts ont cessé d'espérer. Elle mettait l'ignoré à la lumière. Je l'avais même vue l'exhumer jusqu'à la télévision, elle qui méprisait ce média. Elle l'avait fait uniquement pour donner une chance à sa vision du monde.

Elle me dévisageait, un tendre défi à la commissure des lèvres, bien curieuse de découvrir ce que j'étais capable d'entendre. Je soutenais son adoration dans la chambre d'enfance. J'étais sensible, l'eau me remplissait les yeux, ça coulerait quand ce serait à ras bord. Ce que je contenais. Dans les yeux. Ma possible noirceur comme un cadeau du ciel.

Carlos réemménageait chez sa femme. Il n'avait pas réussi à braver le ressentiment de son clan. Après un moment où plus personne ne lui avait parlé, ils avaient tous brutalement exigé de le voir, la voix rancunière, comme si c'était lui qui les boycottait, alors que ses appels éperdus, où flottait sa détresse, étaient restés des semaines sans réponse. Il rencontrait ses enfants dans des cafés. Ça aurait pu être des parloirs, étant donné derrière quel grillage, quelle paroi de verre infranchissable, se tenait sa descendance. Il repartait, le pardessus sur son dos, le col relevé pour cacher sa désolation. Il sentait des yeux plantés dans son dos, il était poignardé par les siens. Il se retournait. Nouvelle atroce déception : les deux adolescents ne le regardaient pas. Ils étaient au téléphone, loin de sa chair. Sans doute qu'ils appelaient leur mère.

Pour comble, une constellation de réalités lui était tombée dessus. Sa femme certifiait que la séparation allait lui coûter cher. Ces jours-là, en anticipation, la dépense la plus bénigne semblait insurmontable à Carlos. Il avait le sentiment de ne remplir que des chèques, il les signait excédé, dans une totale dépendance. Il me certifiait que l'argent, ça fait réfléchir.

Bref, la question de l'envie apparaissait secondaire. Et si elle affleurait, c'était en tant qu'un bien appartenant à ses enfants et à sa femme. C'était à eux : avaient-ils envie, eux, de le voir revenir ? La situation s'était inversée. Il détestait le studio de son cousin. Il exécrait les hommes qui ont des états d'âme, il jurait qu'il n'en avait plus. Par-dessus tout, il maudissait les amateurs de vidéos pornographiques. Que sa femme ait eu l'indécence de mêler les enfants à leur échec, il n'en parlait pas. Toutes les fautes étaient celles de Carlos.

Son dernier doute un peu personnel portait sur sa capacité à contenter sa femme. Mais sur ce point également il s'était autoconditionné. Il y mettait tellement de bonne volonté. À la limite, il pouvait envisager des rapprochements physiques, il ferait l'effort. Sa femme n'était-elle pas ré-érotisée par son refus d'être l'épouse d'un vicieux ? Ce pourrait redevenir si excitant d'être très persuasif, après tant d'années passées avec d'un côté elle qui voulait et de l'autre lui qui s'ennuyait. Le potentiel de sa femme, jadis source d'affolement et de paralysie, la manie qu'elle avait de demander des attentions érotiques, maintenant que c'était barré par l'animosité, il le réévaluait à la hausse, l'instinct aux lèvres.

Il y retournait presque content. Après, pendant quelques mois, plus personne ne réussit plus trop à entrer en contact avec lui. À qui aurait-il pu dire qu'il s'était fait avoir ? Qu'ayant laissé ses enfants prendre un pouvoir inapproprié, il avait perdu son rôle auprès d'eux ? Qu'en fait de métamorphose, sa femme n'avait été que récriminations, menues vengeances dont elle était la première à souffrir ? À qui aurait-il pu confesser que c'était lugubre ?

Cet été-là, on m'invita moins dans les maisons de vacances. Il n'y eut plus de cagnottes, on ne me demanda plus de me mettre en commun. Carlos, avant de disparaître dans les ronces urticantes de son couple, avait révélé à tous combien je l'avais, moi plus que quiconque, incité à s'émanciper. Il était flagrant que j'avais échoué, mais je représentais un danger, moi susceptible de prendre votre mari et de lui enseigner l'indépendance, de lui passer sous le nez l'odeur des possibles. Odeur irrésistible, sinon qui aurait-elle inquiété ? Ça tombait au moment où je me féminisais de jour en jour. Ils m'avaient reproché mes accoutrements de ces dernières années ; à présent, ils auraient presque regretté mes larges pantalons. On remarqua l'intention de mes ongles rouges, de pantalons plus moulants, d'escarpins que pourtant ils m'avaient ordonné d'acheter. Et mes seins et mes hanches et mes chevilles. Les éléments de ma révolution ne clignotaient pas seulement dans les miroirs où je me rencontrais de nouveau, ils signalaient à tous mon retour. J'avais un reflet. J'étais revenue.

Mon regard fuyant de ces dernières années avait pu passer pour une excentricité. Sa fixité d'aujourd'hui, indice de ma résurrection, et hardiesse rêvée par tous, m'isola plus que mes exils. Ma solitude avait été une infirmité. Aujourd'hui, par un effet de levier, elle donnait un pouvoir à ma liberté. On ne me demandait plus d'avoir des yeux de louve. Même des yeux de loup, ça aurait été trop. À la place, on cherchait à savoir si je voulais des enfants, et je comprenais que ce projet raisonnable incluait un compagnon. Ce serait bien que maintenant je me range. L'amie de Bâle, celle qui avec son mari fantasmait sur ma pudeur outragée, qui m'avait persécutée devant le « parc à monstres », elle quitta son goût du scandale dès lors que ce mari, n'ayant miraculeusement plus besoin d'une ambiance de trio, me fixa à moi seule un rendez-vous à Paris, où je n'allai pas.

Dans la rue, en marchant, je ne rencontrais plus que des possibilités. C'est vrai, depuis que je voyais les hommes, je les voyais tous. Un à la boulangerie, il fouillait sur lui pour trouver de la monnaie. Il mettait sa main dans la poche de son pantalon, j'avais l'impression que c'était moi qui touchais vers là-bas dans des zones une suavité inracontable. Et je me souvenais du jouet d'une gamine, une balle en silicone. C'était au début de mon répit, après les sports d'hiver. La gosse me l'avait mise dans la paume en promettant que ce serait délicieux. Son jouet préféré. J'avais été saisie par la texture satinée de la balle, reconnaissable entre mille, effrayée qu'une petite fille en perçoive l'attrait.

Je n'ai jamais rien dit à personne. De temps en temps, à des phrases innocentes de nos proches, je réalise à quel point c'est un secret. Tant mieux. Toute sexualité devrait en être un. Nous nous étions croisés par hasard, moi au volant de ma voiture, vers les Invalides, et lui qui traversait. Je l'avais emmené, ça semblait le plus simple. Et après, il avait bien fallu choisir une direction. Par extraordinaire, ni lui ni moi nous n'allions nulle part.

Que les liens du mariage soient sacrés ou non, je les vois tels qu'ils sont, tressés et étrangers à moi. Je n'ai pas volé cet homme. Je l'ai pris pour voler. Je voulais recommencer avec le corps. Me déployer. Ouvrir mes omoplates comme à Goa. Et lui, il l'avait deviné. Des mois qu'il y pensait. Chaque fois qu'il passait vers ma rue, il se retenait de m'appeler.

On roulait vers chez moi.

Il avait examiné mon appartement, il avait aimé. Comme si c'était lié, il avait demandé ce qui se passerait si nous tombions amoureux l'un de l'autre, et il avait dit que ce serait une catastrophe pour tant de gens. Sans les nommer, dans le creux de notre conscience, on avait pensé à ceux qu'on rendrait malheureux.

Il se tenait debout devant mon lit, très calme, il avait vraiment la stabilité d'un paysan.

J'avais prévenu : « Tu le sais, des années sans rien, des années à embrasser mon oreiller, à frôler des pavots, à lécher du marbre, à m'endoctriner de fantasmes. Je n'ai pas de vie privée. »

Il avait dit : « Crois-moi, la vie privée ce n'est pas ce qu'on fait, c'est ce qu'on ne fait pas. »

J'avais prévenu que j'étais si peureuse et que c'était un déshonneur de ne plus maîtriser les gestes élémentaires, surtout à l'âge que j'avais, et que je savais par cœur l'embarras des incapables et que c'est tout ce que je savais, Seigneur.

Il avait dit : « J'avais six ans, mon frère passait son doigt au-dessus d'une flamme, et ne se brûlait pas. Il jurait que c'était facile. Des jours je l'avais vu promener son doigt dans le feu, des jours j'avais approché ma main de la flamme, et chaque fois je m'étais ravisé. Je soupçonnais mon frère d'avoir un fluide secret. Il adorait me jouer des tours de sa boîte Magiboy. Et puis, une fois, j'avais réussi à essayer. Il avait raison, c'était facile, en plus on découvrait une matière irrésistible de la flamme. Après, on ne pouvait plus s'arrêter de le refaire. »

Et moi je continuais, je disais : « Je te préviens, je te préviens, tant d'audaces sont restées dans ma tête, tant de plaisirs n'ont pas été pour moi, même danser a été un mensonge que je faisais à l'espace. J'ai peur que ce soit trop, ce à quoi je pense. Attention, si tu fais un pas ce sera un pas vers une femme incertaine. »

Mais il s'approcha, et dès que je le pus avec quelle hâte j'appliquai ma main où elle n'allait plus. Je touchai quelque chose qui me rassura tellement.

Composé par Nord Compo Multimédia
7, rue de Fives, 59650 Villeneuve-d'Ascq

Dépôt légal : août 2011

Imprimé au Canada par
Transcontinental Gagné